Comme un cheval sauvage

C'est grâce à un programme d'aide à la traduction du Conseil des Arts du Canada que les Éditions Pierre Tisseyre ont mis sur pied, en 1980, la collection des Deux solitudes, jeunesse, dans le but de faire connaître aux jeunes lecteurs francophones du Québec et des autres provinces les ouvrages les plus importants de la littérature canadienne-anglaise.

Ce même programme permet aussi aux œuvres marquantes de nos écrivains d'être traduites en anglais.

Déjà plus d'une trentaine d'ouvrages, choisis pour leur qualité, leur intérêt et leur originalité, font honneur à cette collection, qui fut, jusqu'à l'automne 1989, dirigée par Paule Daveluy et, depuis, par Marie-Andrée Clermont.

MARILYN HALVORSON

COMME UN CHEVAL SAUVAGE

traduit de l'anglais par
Paule Daveluy

ÉDITIONS PIERRE TISSEYRE
8925, boulevard Saint-Laurent — Montréal, H2N 1M5

COLLECTION DES DEUX SOLITUDES, JEUNESSE
grand format

OUVRAGES NON ÉPUISÉS DANS CETTE COLLECTION:

CALLAGHAN, Morley
La promesse de Luke Baldwin, traduction de Michelle Tisseyre

CLARK, Joan
La main de Robin Squires, traduction de Claude Aubry

DOYLE, Brian,
En montant à Low, traduction de Claude et Danielle Aubry

GERMAN, Tony
D'une race à part, traduction de Maryse Côté

HUGHES, Monica
La passion de Blaine, traduction de Marie-Andrée Clermont

LITTLE, Jean
Écoute, l'oiseau chantera, traduction de Paule Daveluy
Maman va t'acheter un moqueur, traduction de Paule Daveluy

LUNN, Janet
Une ombre dans la baie, traduction de Paule Daveluy

MAJOR, Kevin
Tiens bon!, traduction de Michelle Robinson

MOWAT, Farley
Deux grands ducs dans la famille, traduction de Paule Daveluy
La malédiction du tombeau viking, traduction de Maryse Côté

TRUSS, Jan
*Jasmine**, traduction de Marie-Andrée Clermont

* Certificat d'honneur de l'Union internationale pour les livres de jeunesse, pour la traduction (IBBY).

COLLECTION DES DEUX SOLITUDES, JEUNESSE
format poche
directrice: Marie-Andrée Clermont

OUVRAGES PARUS DANS CETTE COLLECTION:

1. **Cher Bruce Spingsteen**, de Kevin Major, traduction de Marie-Andrée Clermont
2. **Loin du rivage**, de Kevin Major, traduction de Michelle Tisseyre
3. **La fille à la mini-moto**, de Claire Mackay, traduction de Michelle Tisseyre
4. **Café Paradiso**, de Martha Brooks, traduction de Marie-Andrée Clermont
5. **Moi et Luc**, de Audrey O'Hearn, traduction de Paule Daveluy
6. **Du temps au bout des doigts**, de Kit Pearson, traduction de Hélène Filion
7. **Le fantôme de Val-Robert**, de Beverley Spencer, traduction de Martine Gagnon
8. **Émilie de la Nouvelle Lune 1**, de Lucy Maud Montgomery, traduction de Paule Daveluy*
9. **Émilie de la Nouvelle Lune 2**, de Lucy Maud Montgomery, traduction de Paule Daveluy*
10. **Émilie de la Nouvelle Lune 3**, de Lucy Maud Montgomery, traduction de Paule Daveluy
11. **Émilie de la Nouvelle Lune 4**, de Lucy Maud Montgomery, traduction de Paule Daveluy
12. **Le ciel croule**, de Kit Pearson, traduction de Michelle Robinson
13. **Le bagarreur**, de Diana Wieler, traduction de Marie-Andrée Clermont
14. **Shan Da et la Cité interdite**, de William Bell, traduction de Paule Daveluy
15. **Je t'attends à Peggy's Cove***, de Brian Doyle, traduction de Claude Aubry, Prix de traduction du Conseil des Arts, 1983.
16. **Les commandos de la télé**, de Sonia Craddock, traduction de Cécile Gagnon
17. **La vie facile**, de Brian Doyle, traduction de Michelle Robinson
18. **Comme un cheval sauvage**, de Marilyn Halvorson, traduction de Paule Daveluy
19. **La mystérieuse Frances Rain**, de Margaret Buffie, traduction de Martine Gagnon
20. **Solide comme Roc**, de Paul Kropp, traduction de Marie-Andrée Clermont

* Certificat d'honneur de l'Union internationale pour les livres de jeunesse, pour la traduction (IBBY).

Dépôt légal: 3e trimestre 1992
Bibliothèque nationale du Canada
Bibliothèque nationale du Québec

Données de catalogage avant publication (Canada)

Halvorson, Marilyn

[Dare. Français]

Comme un cheval sauvage

(Collection des Deux solitudes. Jeunesse).
Traduction de: *Dare*.
Pour les jeunes.

ISBN 2-89051-494-3

1. Titre: II. Titre: Dare. Français. III. Collection.

PS8565.A462D3714 1992 jC813'.54 C91-096483-1
PS9565.A462D3714 1992
PZ23. H34Co 1992

L'édition originale en langue anglaise
de cet ouvrage a été publiée par
Stoddart Publishing Co. Limited, Toronto
sous le titre
Dare

Illustration de la couverture :
Brigitte Fortin

ISBN-2-89051-494-3

10678

À Marilyn et Ken,
des amis exceptionnels

Merci à tous ceux qui m'ont aidée de leur sagesse et de leur expérience à rendre cette histoire vivante.
Des remerciements spéciaux à Nicola qui m'en a fourni l'idée.

1

On étirait la soirée au Café des Trois G depuis près d'une heure; en fait, depuis la fin du film. On était cinq: moi, Keith Ericsson, une couple de filles et, bien entendu, Tyler, mon petit frère. Rien de bien excitant. On buvait du Coke, on tuait le temps. Dans les petites villes du genre de Crossing, faut pas s'attendre à grand-chose d'autre, à moins d'avoir l'âge du permis de conduire. Ce n'était pas mon cas. Keith l'avait, lui, mais le con avait fait rouler sa moto dans les pois de senteur de sa mère, la semaine d'avant, et elle avait confisqué ses clefs.

J'ai regardé l'heure à ma montre. Presque onze heures. Grand-maman serait fâchée qu'on soit restés dehors si tard, un soir de semaine, mais moi, je m'en balançais. Mes notes étaient déjà au plus bas. Celles de Tyler, par contre, étaient tellement bonnes qu'un petit bout de sommeil manqué leur ferait pas de mal.

Je m'embêtais royalement. J'ai regardé autour pour voir s'il n'y aurait pas moyen, pour un gars de mon genre, de s'éclater un peu et j'ai trouvé la réponse juste devant mes yeux. J'ai fait un clin d'œil à Keith et je lui ai dit, en évaluant la cible du regard:

— Je te parie que je suis capable de l'atteindre entre les deux yeux.

Keith a fait non de la tête et a dit, la voix pleine de mépris:

— C'est pas possible, bonhomme! Tu n'y arriveras jamais.

— C'est ce qu'on va voir, ai-je répondu, relevant le défi.

Les défis, moi, je les relève tous.

— Si tu es si sûr de ton tir, Ericsson, serais-tu prêt à parier là-dessus?

— Certain.

Keith a tiré de sa poche deux pièces de vingt-cinq cents.

— Cinquante cents que tu rates la cible!

Je l'ai accoté avec un vingt-cinq cents, deux dix cents et deux sous noirs.

— Eh, Tyler, t'aurais pas trois cents?

Sans rien dire, Tyler a sorti une poignée de monnaie et y a pigé les sous. C'est un bon petit frère, même s'il me suit partout à la trace. J'aurais pu avoir pire.

J'ai mis les sous sur la table.

— Ça va, a dit Keith, en zieutant la victime. Vas-y, Man!

Ramassant mes énergies, J'ai aspiré du Coke plein mes pailles, puis, en retenant mon souffle, j'ai visé de mon mieux et pan! La tête de l'orignal empaillé n'a même pas bronché. L'animal a continué de nous fixer, tout bête, de là-haut, sur le mur du café, pendant qu'un petit ruisseau de Coca-cola dégoulinait du mur, près de son oreille gauche. Mes cinquante cents sacraient le camp.

— Man!

La serveuse a poussé un cri de mort qui m'a fait sursauter.

— Man, tu refais ça et je vous flanque tous dehors.

Je me suis calé plus creux dans ma chaise et je lui ai souri comme si de rien n'était. Je la connais depuis toujours. On a fréquenté la même école — elle était deux ans en avance sur moi. L'air innocent, j'ai dit:

— 'Scuse-moi, Deb. J'avais pas l'intention de faire ça.

Pour dire vrai, c'est pas le mur que je visais, c'est l'orignal.

— Comment donc! qu'elle a dit, en essuyant le liquide sur le mur.

Elle avait son sourire en coin. Elle me pardonnait. Pas de problème. Je m'entends plutôt bien avec les filles, quand je leur fais du charme. Juste à ce moment-là, j'ai capté le regard que Sue Kiniski, ma blonde d'occasion, a jeté sur moi: un regard à vous donner la chair de poule. Elle et moi, ça ne tournait pas rond.

Qu'est-ce qu'elle s'imaginait donc? Que je n'ai pas le droit de sourire à une autre quand je suis avec elle? Ça m'a choqué noir. Je m'étais assis à ses côtés au cinéma, sans même lui payer sa place, et elle croyait que je lui appartenais? Voyons donc! Elle perdait les pédales. Je n'étais pas sa chose. Je ne suis la chose de personne.

— Paye, grosse poire, a dit Keith, triomphant.

À contrecœur, j'ai laissé tomber mes sous dans sa main tendue.

— T'as eu de la chance, bonhomme, que j'ai dit. La paille tirait mal. La prochaine fois...

Je n'ai pas terminé ma phrase parce que, juste à ce moment-là, derrière la fenêtre, quelque chose m'a accroché l'œil.

Une auto de patrouille entrait dans le terrain de stationnement. La police m'énerve, même quand je suis blanc comme neige. Les autres avaient probablement vu la voiture, eux aussi: le silence est tombé sur le café. On a regardé la porte de l'auto s'ouvrir. Le caporal Steiger en est sorti. C'est le genre de gars avec lequel tu souhaites le moins être pris sur une île déserte. D'une main ferme, j'ai tiré une cigarette du paquet que Keith avait laissé sur la table. Je fume rarement, mais depuis la fois où Steiger m'a vu fumer, à l'aréna, il y a deux ans et qu'il en a fait tout un plat parce qu'il déteste voir les jeunes fumer, je me fais un point d'honneur de fumer devant lui chaque fois que l'occasion se présente.

Steiger est entré dans le café. Il est resté planté là un grand moment, à regarder autour de lui. Puis ses yeux froids se sont posés sur moi. Il s'est avancé vers notre table. Tout a basculé dans ma tête. Qu'est-ce que j'avais donc fait, ces temps derniers, d'assez grave pour que la police s'en mêle? Rien ne me venait à l'esprit. Sept mois s'étaient passés depuis l'Halloween. Je n'avais rien fait d'illégal, depuis. Il y avait bien eu cette histoire à l'école, juste tantôt. Je sentais peser dans ma poche la lettre qui m'accusait. Non, ça ne pouvait pas être ça.

On ne jette pas un gars en prison parce qu'il s'est moqué d'un prof, pas même à Crossing (Alberta).

Le temps se faisait rare pour penser. Steiger se tenait debout près de ma chaise, me couvrant de son œil à la Clint Eastwood. Il a tonné:

— Manuel Jamieson, viens ici. J'ai à te parler seul à seul un moment.

Quatre paires d'yeux m'ont transpercé pendant que je me levais, aussi lentement que je le pouvais, l'air détendu, du moins je l'espérais, et que je suivais le «beu» dans un coin de la pièce.

Une minute plus tard, j'étais revenu vers le groupe.

— Viens-t'en, Tyler, que j'ai dit, en lançant mes deux derniers dollars sur la table et en récupérant ma veste.

Tyler n'a pas posé de questions. Les copains non plus. Ils sont juste restés là, à nous regarder aller, Tyler et moi, sur les talons de Steiger et monter derrière lui, dans l'auto de patrouille.

Steiger a fait crisser ses pneus et s'est engagé dans la rue Principale. J'ai regardé du côté de Tyler. Ses yeux étaient comme des soucoupes. C'était la première fois, à ma connaissance, qu'il montait dans un car de police. Qu'est-ce qui l'impressionnait tant de ce voyage sans escale jusqu'au violon? Le plaisir ou la peur? Je me le demandais. Moi, ce n'était pas la première fois. Je ne me sentais ni enchanté ni terrifié. Je me sentais plutôt mal dans ma peau.

— Man?

La voix de Tyler était étouffée comme s'il s'imaginait qu'ils ajouteraient une année à sa sentence juste pour avoir ouvert la bouche, mais ses bourrades dans mes côtes parlaient toutes seules. Il voulait des réponses. Et ça pressait.

— Grand-maman a eu une attaque, que j'ai dit, tout bas. (Je ne sais pas pourquoi j'ai cru que ça serait mieux de chuchoter. Je pensais peut-être que de dire ça tout fort rendrait la chose trop vraie.)

Tyler est resté muet un long moment. C'est bien lui, ça! Quand une tuile lui tombe dessus, il se tait et en évalue le poids dans sa tête.

Il s'est finalement tourné vers moi. Dans la lueur falote des lampadaires, ses yeux graves me scrutaient, exigeant la vérité.

— Elle va pas mourir, Man?

J'ai poussé un soupir. Le gamin me fait ça depuis qu'il est au monde: il croit que j'ai réponse à tout.

— Je l'ignore, Tyler. Il nous emmènent à l'hôpital. C'est là qu'on saura.

Steiger a roulé dans l'aire de stationnement et stoppé. On a attendu qu'il sorte et qu'il nous ouvre — avec brusquerie — la porte arrière. Il s'est tenu à côté, au garde-à-vous, comme s'il se prenait pour un agent de la Gestapo.

Je ne l'ai même pas regardé quand je suis descendu et je me suis dirigé vers la porte de l'hôpital. Steiger m'a emboîté le pas, en disant:

— Votre grand-mère était une bien brave femme.

Bien oui, Steiger, je sais tout ça. Mais un mot m'avait frappé: «Était»! Qu'est-ce qu'il voulait dire: était?

Il a continué sur sa lancée.

— C'est malheureux que tu n'aies pas appris à l'apprécier. Parce qu'alors peut-être qu'elle n'aurait pas été toute seule à la maison, quand c'est arrivé. Qui sait combien de temps elle est restée allongée là, réduite à l'impuissance?

C'est ça, le gars, fais-moi me sentir encore plus coupable.

— Heureusement, Mme Henry, votre voisine, est arrêtée, par hasard, en passant. Fallait pas trop compter sur vous autres, hein? Dieu sait quand vous seriez rentrés...

Piqué au vif, je me suis tourné pour le regarder et, en m'en voulant de lui répondre, j'ai dit :

— On serait pas rentrés tard.

Avant qu'il ait pu riposter, j'ai pivoté sur les talons et je me suis mis à courir. Tyler a fait de même. Steiger a gardé son propre rythme et ça m'a soulagé. Probable que le pas de course ne cadre pas avec l'image qu'il a de lui-même, policier *cool*. J'étais content de prendre mes distances. Entrer à l'hôpital encadré par la police, c'était plus que je ne pouvais supporter. Je l'avais fait, déjà. Cette expérience-là, je ne souhaitais pas la répéter.

C'était, en fait, la première fois que ça m'arrivait, depuis l'autre pépin. Les hôpitaux, je m'en tiens loin. À moins d'être à moitié mort, je n'y viens jamais de mon plein gré. Ça a été comme ça, la fois où j'ai essayé de prouver que c'était possible de grimper, en moto, le versant à pic de Kagan's Butte.

Ce n'était pas possible, soit dit entre nous, mais j'y suis presque parvenu. Presque. J'arrivais au sommet quand la moto m'a lâché. Je m'en suis quand même tiré, pas vrai? Bon, pas aussi bien que si la moto ne m'était pas tombée dessus, mais je me tenais debout quand l'auto patrouille est arrivée, sirènes hurlantes, sur les lieux de l'accident... Les lieux du crime, vous auriez cru, à voir aller Steiger. Il s'est mis à me crier par la tête que mes prouesses étaient dangereuses. Plus ça allait, plus je me sentais mal. Tout ce que je voulais, c'était rentrer à la maison et me coucher un petit bout de temps. Mais, bien sûr, Steiger ne l'entendait pas de cette oreille-là. Il lui fallait absolument me traîner jusqu'à l'hôpital. J'avais deux côtes fêlées et une commotion cérébrale, ce qui m'a valu de passer trois jours prisonnier de cet endroit.

De nouveau, après tout ce temps, le calme inquiétant de l'hôpital m'enveloppait. Le jour de l'accident de moto, je m'étais senti mal en point, mais aujourd'hui c'était pire. Dans le temps, je savais que je guérirais et que la vie reprendrait son cours. Cette fois-ci, je n'étais pas certain que le grand vide que je ressentais au creux de l'estomac s'en irait jamais.

2

Je me suis avancé gauchement vers la réception et j'ai attendu que quelqu'un s'avise de ma présence. Une infirmière m'a vu et a demandé, l'air revêche, comme si, à son idée, je n'avais rien à faire là:

— Qu'est-ce que c'est?

— On est ici pour voir...euh...

J'ai hésité. Pendant une seconde, c'est fou, je n'ai pas pu me rappeler le nom de ma grand-mère. Pour nous, elle avait toujours été juste «grand-maman». J'ai continué, les joues brûlantes:

— ... pour voir Ann Hilton.

La mine de l'infirmière s'est allongée encore plus.

— Je crains bien que ça ne soit pas possible. Elle est aux soins intensifs et les visites sont interdites. Demain, peut-être...

Elle a laissé sa phrase en suspens et est retournée à ses dossiers, comme si on était un problème qu'elle venait de régler.

Je bouillais en dedans.

— 'Coutez donc, là, la p'tite dame, que je lui ai dit, assez fort pour capter son attention, on vient juste d'être traînés ici par la police pour voir notre grand-mère, et, là, vous nous dites que...

Elle m'a coupé la parole, et d'une voix qui mordait comme un piège à ressort:

— Jeune homme, je viens de te dire que...

Juste à ce moment, un homme en sarrau blanc a surgi du corridor marchant à pas rapides comme s'il y avait urgence. L'infirmière l'a vu.

— Oh, docteur Musiak, le *jeune homme* que voici — sa façon de me montrer du doigt n'avait rien de flatteur — se renseigne à propos d'une dame Hilton.

Le médecin s'est avancé vers moi.

— Tu es son petit-fils, j'imagine?

J'ai fait signe que oui.

— Moi et Tyler, nous deux.

Tyler était juste à côté, accroché à moi, aussi collé et silencieux qu'une ombre. Le docteur Musiak l'a regardé, puis a ramené les yeux sur moi.

— Tu devrais m'accompagner un petit moment, qu'il a dit calmement, en offrant à Tyler un sourire rassurant. Attends-nous dans le hall, fiston. Tu y trouveras un bon choix de bandes dessinées.

Tyler m'a jeté un regard si furieux que je n'ai pu m'empêcher de sourire. Le docteur était dans les patates. Mon frère a douze ans, mais il en paraît dix et se conduit, la plupart du temps, comme s'il en avait quarante. Si le docteur Musiak nous avait mieux connus, c'est probablement à moi qu'il aurait recommandé les bandes dessinées et Tyler qu'il aurait tiré à l'écart pour un échange musclé. Mais il ne nous connaissait pas. J'ai soufflé à Tyler:

— Fais ce qu'il te dit. Je reviens.

Il s'est éloigné à regret et j'ai suivi le docteur dans son bureau. Il a fermé la porte, s'est assis et m'a indiqué du geste l'autre fauteuil. Je suis resté debout. J'avais hâte d'en finir et de sacrer le camp. Alors, j'ai interrogé froidement:

— Est-ce qu'elle va s'en remettre?

Il m'a de nouveau regardé longuement. Sans doute qu'il m'a trouvé assez mûr pour entendre la vérité, puisqu'il a hoché la tête en disant doucement:

— J'ai bien peur que non...

Il s'est interrompu, guettant ma réaction. À quoi est-ce qu'il s'attendait? Que je pleure? Je n'ai pas pleuré. Au bout d'un moment, il s'est remis à parler.

— Ta grand-mère a subi une très grave congestion cérébrale. À son âge, c'est peu probable qu'elle reprenne conscience...

J'attendais qu'il finisse sa phrase. Qu'elle reprenne conscience d'ici une semaine? Ou un mois? D'ici plus longtemps que ça? C'est alors que, tout d'un coup, ça m'a frappé. Sa phrase était finie. C'était *définitif*. Il parlait de *toujours*.

— Vous voulez dire qu'elle est comme morte?

Le docteur m'a jeté un étrange regard et ce qu'il a dit, ensuite, m'a assommé raide. Sa voix était sucrée comme le miel.

— Tu sais, mon jeune, quand une nouvelle comme celle-là nous tombe dessus on n'a pas à avoir honte de montrer son chagrin. C'est une réaction naturelle. On est tous...

Ça m'a mis en rogne. Pour qui il se prenait, ce mec-là? Pour un psy ou quoi?

— Eh! là, que je lui ai dit, glacial, j'ai seulement posé une question. Tout ce que je demande, c'est une réponse, pas un sermon.

Il a poussé un profond soupir.

— Bon. Elle ne va pas bien. Demain matin, nous réévaluerons son état et nous la transporterons probablement à Calgary, où on est mieux équipé pour la soigner.

Il a retiré ses lunettes et s'est frotté les yeux.

— Ils la prolongeront peut-être de quelques jours, de quelques semaines, qui sait, mais...

Sa phrase est restée en suspens. J'avais compris. Dorénavant, il n'y aurait plus que Tyler et moi.

— On peut la voir? (Je me demande bien pourquoi je le demandais. Pour dire vrai — quelle réaction minable! — je ne souhaitais pas vraiment la voir.)

Il a fait non de la tête.

— Pas dans l'état où elle est. Elle ne saurait même pas que vous êtes là. Ce que je vous recommande plutôt, pour l'instant, c'est de rentrer chez vous et d'aller dormir. Ça vous donnera du recul.

Il m'a de nouveau fouillé l'âme du regard, croyant toujours que mon monde s'écroulait autour de moi, mais que je faisais bravement front pour prouver que j'étais un homme. Je ne ressentais rien du tout. Il ne voulait pas s'entrer ça dans la tête.

On a regagné la salle d'attente. Tyler nous a aperçus et a posé le magazine qu'il lisait. Ce n'était pas une bande dessinée, c'était le *Times*.

— Alors, Man, comment elle est?

Le docteur Musiak ne m'a pas donné le temps de répondre. Inquiet, peut-être, de ce que je dirais.

— Ta grand-mère est très malade, mon garçon, qu'il a dit, la voix douce, mais elle dort pour l'instant et il vaudrait mieux ne pas la déranger.

Ah, voyons donc, Doc, le petit a le droit de savoir. Vous pensez qu'il acceptera plus facilement la vérité quand sa grand-mère sera morte? Qu'est-ce que vous essayez de faire? Lui ménager une surprise?

— Vous devriez rentrer tous les deux chez vous pour la nuit et...

Il s'est interrompu, inquiet:

— Y a-t-il quelqu'un pour s'occuper de vous, là-bas? (Sans doute venait-il tout juste de s'aviser que si on était les parents les plus proches, ça ne laissait pas d'autres adultes dans le portrait.)

J'ai dit:

— Je m'en charge. (J'ai tout de suite su que c'était une erreur. La première chose qu'il ferait, ce serait de me demander mon âge et de nous confier au bien-être social.)

Je mens plutôt bien, quand ça s'impose, et à flairer les emmerdements qui s'annonçaient, ça s'imposait. Alors, j'ai ajouté, en catastrophe:

— La tante Ruth d'Edmonton sera là demain pour voir à tout.

Tyler en a eu le souffle coupé et j'ai vu qu'il se préparait à s'ouvrir la trappe et à jeter par terre ma belle histoire inventée. Mon coude s'est planté dans ses côtes. Il a sursauté et m'a jeté un œil étonné, mais il avait compris et se l'est gardée fermée.

Du regard, j'ai fait le tour du hall d'entrée. Le caporal Steiger n'y était plus. Si on réussissait à semer le docteur, on était libres. Alors j'ai dit, étonné moi-même de la politesse dont j'étais capable:

— Euh, merci pour tout. Nous, on va rentrer parce que, demain matin, faudra qu'on se lève tôt pour aller chercher la tante Ruth. Allons-y, Tyler.

Je me suis dirigé vers la porte. Tyler m'a suivi sans un mot. Mon frère est peut-être très naïf, mais, au moins, on n'a pas toujours besoin de lui faire un dessin.

On est sortis dans la nuit sous la pluie froide de l'Alberta. J'ai relevé mon col. Le mille et demi qu'il fallait nous taper pour revenir à la maison serait une longue promenade mouillée. C'était quand même mieux que de rester à l'hôpital. Je me suis mis à marcher vite. Même s'il est moins grand que moi d'à peu près six pouces, Tyler m'a emboîté le pas. Je savais ce qui le tracassait.

— Man, qu'il a dit, et sa voix accusait, on n'a pas de tante Ruth.

— Tu m'en diras tant!

— Mais tu as dit…

Je me suis arrêté en soupirant. Je m'étais trompé: il lui fallait un dessin.

— Tyler, explique-moi comment tu fais pour être au tableau d'honneur, à l'école?

Il m'a regardé de bas en haut, ses cheveux blonds et son visage mouillé brillants dans l'éclat d'un lampadaire. Des fois, quand il me regarde comme ça, la tête penchée, il ressemble à maman.

— Qu'est-ce que la tante Ruth a à voir avec le tableau d'honneur?

Je me suis remis à marcher, mais lentement, pour qu'on puisse se parler lui et moi. De toute façon, on serait en lavette en arrivant, alors à quoi bon se presser. Je lui ai expliqué, patiemment:

— On a une tante Ruth parce que, si on n'en avait pas, on se retrouverait dans une autre famille d'accueil. C'est ça que tu veux?

Les yeux de Tyler se sont agrandis.

— Non, qu'il a dit, d'une voix bizarre — et je me suis demandé ce dont il se souvenait de cette époque de notre vie.

Huit ans avaient passé, depuis. Il avait rien que quatre ans, dans ce temps-là, et moi, sept.

J'ai regretté de l'avoir fait penser à ça. J'ai regretté d'y avoir pensé moi-même.

Quand on a été presque rendus, j'ai dit:

— Eh! Qui va arriver le premier à la maison?

Tyler a eu son premier sourire de la soirée. Il a dit: «Moi!» et il s'est envolé. Je l'ai suivi, mais je savais que je n'avais aucune chance de gagner. La course, c'est son point fort. Il est membre de l'équipe sportive de l'école et il s'entraîne constamment. Et puis, il pèse presque trente livres de moins que moi.

Il repêchait la clef de réserve de la maison dans le pot à fleurs de la véranda quand j'ai gravi les marches, exténué. Il m'a fait un grand sourire.

— Tu devrais vivre plus sainement, Man, qu'il m'a dit.

— Et me priver de tous les plaisirs de l'existence? Pas question. Et puis, dis donc, je ne souhaite pas être le bipède le plus rapide au monde, moi.

— Moi, si, qu'il a dit.

Et s'il l'a dit, c'est qu'il le pensait.

3

Il a déverrouillé la porte et on est entrés dans la maison. C'était tranquille en pas pour rire, là-dedans. Bizarrement tranquille. D'habitude, quand on rentre tard, grand-maman est dans son lit à nous attendre. Là, c'était bien différent. Les autres fois, on savait qu'elle était là; c'était sécurisant. Je suis resté figé sur place une grande minute, la tête vide. Comme si j'attendais que quelqu'un me dise quoi faire... Moi, Manuel, j'attendais que quelqu'un me dise quoi faire! Du jamais vu.

J'ai retiré ma veste mouillée et je l'ai lancée à l'aveuglette vers une des chaises de la cuisine. J'ai raté mon coup et la veste s'est écrasée sur le plancher en un petit tas mouillé. Tyler m'a grondé:

— Maudit, Man, tu aurais pu faire attention. Grand-maman travaille fort pour garder son plancher propre.

À grandes enjambées furieuses, il a marché jusqu'à la veste qu'il a ramassée et accrochée derrière la porte de la salle de bains.

Il n'y avait pas là de quoi se mettre en rogne. J'aurais dû laisser tomber, mais j'étais monté d'un cran de trop. J'ai crié:

— Ça va faire, Tyler. J'en ai assez lourd à porter sans que tu me tombes dessus, toi aussi. Le plancher de la cuisine, ça ne lui fera plus un pli, maintenant, à grand-maman.

Comme d'habitude, mes mots ont dépassé ma pensée. Je ne les avais pas sitôt dits que je les ai regrettés. Tyler était debout au milieu de la pièce, tout tremblant, vêtu encore de son blouson mouillé. L'eau tombait goutte à goutte de ses cheveux dans ses yeux. Et il me regardait comme si je venais de lui annoncer la fin du monde.

Je me suis forcé à sourire et j'ai vite changé de sujet.

— Eh! enlève ton blouson, sinon tu vas attraper ton coup de mort.

J'aurais juré qu'il n'avait rien entendu. Il n'a pas bronché. Ses yeux francs, couleur de fumée, ont scruté mon visage.

— Elle ne va pas mourir, Man? qu'il a demandé, d'une voix âpre qui exigeait une réponse.

— Comment tu veux que je le sache?

J'étais en colère, mais je me suis forcé à recouvrer mon calme. Tyler n'avait vraiment pas besoin qu'on lui crie après. Grand-maman et lui étaient, à leur façon, de très bons amis. Beaucoup plus qu'elle et moi ne l'avions jamais été. Il avait tout juste cinq ans quand on était venus vivre ici, alors j'imagine qu'elle était la seule mère qu'il ait connue. Mais moi, j'étais assez vieux pour me souvenir et je ne me souvenais que trop!

Avec effort, je suis revenu au présent. Il n'y avait rien, dans mon passé, que je voulais me rappeler. J'ai marché jusqu'à la salle de bains et j'y ai pris une couple de serviettes. J'en ai lancé une à Tyler.

— Cesse de t'en faire. Tout va s'arranger.

Il a pris la serviette et a paru se détendre un peu.

— Tu le crois, Man?

J'ai souri:

— Je le crois.

Ça nous a pris du temps à nous sécher. Et, encore là, on frissonnait toujours. Grand-maman nous aurait fait du chocolat chaud, elle. Alors j'ai cherché, dans l'armoire, la poudre de chocolat. Il n'en restait plus qu'une cuillerée dans la boîte. C'était quand même une bonne idée. J'ai mis la cafetière à chauffer, pour compenser. Maman et moi, on buvait du café ensemble quand j'étais petit. J'aime le goût, mais j'oublie toujours combien de cuillerées il faut pour le réussir. J'en ai mis beaucoup. J'ai laissé bouillir le mélange et j'en ai rempli deux chopes. J'en ai tendu une à Tyler. Il a reniflé le breuvage, l'air soupçonneux.

— Vas-y, bois: garanti que ça va te faire pousser du poil sur l'estomac.

Tyler a levé les yeux au ciel et a avalé une gorgée qui l'a pratiquement étouffé. Entre deux quintes de toux, il a explosé:

— Ce café-là te ferait pousser du poil dans la paume des mains.

Il a vidé le reste de sa tasse dans l'évier. J'ai ri et j'ai bu mon café. Je l'ai trouvé bon.

Avec tout ça, l'heure avançait à l'horloge de la cuisine. Il était presque une heure trente, maintenant. D'habitude, le passage du temps me laisse indifférent — je suis comme qui dirait, aux trois quarts hibou — mais, après tout ce qui s'était passé, ce jour-là, j'avais hâte de tomber dans mon lit.

Tyler était couché quand je suis entré dans la chambre, mais il ne dormait pas. J'aurais dû le savoir: il lisait. Il lit tout le temps. J'ai regardé quel livre il lisait. On aurait dit un dictionnaire. C'était marqué *Dune* sur la couverture. J'avais vu le film, je m'en souvenais. De la science-fiction mur à mur. Je n'y avais rien compris et je comprenais encore moins qu'on «lise» cette histoire-là. Mais ça aurait été fou que j'élève des objections. Plus Tyler lirait, meilleur il serait pour rédiger mes critiques littéraires pour l'école.

Je me suis déshabillé et je me suis glissé dans mon lit. Puis, en tendant le bras, j'ai éteint la lampe entre nos deux lits.

— Eh, Man! a protesté Tyler. Rallume. J'en suis à un moment crucial.

— On en est tous les deux à un moment crucial, mon jeune. Et il y a de l'école demain. Il faut qu'on se lève pour y aller.

— C'est *toi* qui me dis *ça*? Toi que je dois réveiller chaque matin!

J'ai fait le sourd. Parler de l'école m'avait rappelé quelque chose. J'ai rallumé, mais pas pour Tyler. Je me suis levé et j'ai ramassé ma chemise, voulant croire que j'avais imaginé la lettre dans la poche et que, à cette heure, elle aurait tout simplement disparu.

Elle était là. Je l'ai prise. Elle était adressée à Mme Ann Hilton, mais je l'avais ouverte en sortant du bureau. Pas question de transmettre à ma grand-mère une lettre du directeur que je n'aurais pas lue, surtout sachant que j'en étais le sujet.

Je savais d'avance ce qu'elle dirait, cette lettre. J'ai été le sujet de nombre de ces lettres — plus que je ne pourrais en compter — au cours des dernières années, et c'est toujours du pareil au même. Le comportement de Manuel n'est pas satisfaisant. Manuel ne s'applique pas, à l'école. La conduite de Manuel, à l'école, est inacceptable.

Ouais. Et, pour Manuel, c'est l'école qui est inacceptable.

Cette lettre-là était comme toutes les autres. Mais il y avait un hic. Cette fois, Manuel ne serait pas autorisé à retourner en classe, à moins que la lettre ne soit signée par la gardienne légale, prouvant par là qu'elle l'avait lue et qu'elle avait compris que Manuel détruisait, à lui tout seul, une école modèle. Vu les circonstances, obtenir cette signature n'irait pas de soi.

Je suis resté assis là, à regarder la lettre, gagné peu à peu par la colère. Cette école, je la détestais. Je détestais tout ce qui la concernait: les cloches qui te disent quand tu peux entrer, retourner chez toi, t'asseoir, te lever, manger ton lunch, aller à la toilette; les professeurs, ces pantins qui n'arrivent pas à percer dans le monde réel, à faire face aux gens de leur âge, et qui se paient le luxe de tyranniser des élèves captifs; le directeur, qui se prend pour un roi et qui mène son empire comme si la place lui appartenait! À bien y penser, je détestais même la plupart des jeunes qui fréquentaient cette école.

Tyler a interrompu mon haine-thon. Il avait refermé son livre.

— Dormons, Man, qu'il a dit, en bâillant et en enfouissant sa tête dans son oreiller. Tu t'endormais tellement, tantôt. Éteins.

— Juste une minute. Il faut que tu fasses quelque chose pour moi.

Il s'est assis et m'a demandé, inquiet:

— Oui? Quoi?

J'ai lancé la lettre sur le lit.

— Signer cette lettre.

Il a pris l'enveloppe et l'a examinée. Puis, il en a lentement tiré la lettre et l'a lue.

— Tu t'es vraiment fichu dans le pétrin, cette fois, hein, Man?

Je l'ai toisé.

— C'est une signature que je te demande, pas un sermon.

Mon regard noir ne l'a pas impressionné. Il n'y a que les faibles que je réussis à désarçonner. Et Tyler n'est pas un faible.

— Alors, qu'il a dit, comme s'il n'avait pas entendu, avec quel professeur tu as été insolent, cette fois-ci?

— C'est Phillips qui m'a envoyé chez le directeur, mais j'avais rien fait.

Tyler a ri.

— Va conter ça à d'autres, Man. Je te connais trop pour te croire.

Son visage est redevenu sérieux.

— Pourquoi tu te donnes pas une petite chance, Man? C'est à toi que tu fais le plus de mal. On déjoue pas le système.

J'ai soupiré. J'en avais jusque-là de mon conseiller personnel.

J'ai sifflé entre mes dents:

— Tyler, signe ce papier, O.K.?

Il m'a jeté un regard étonné.

— Qu'est-ce que ça va te donner? C'est la signature de grand-maman qu'ils veulent. Pas la mienne.

Mon frère a beau être un surdoué, y a des fois où il est bouché.

— C'est ça, Tyler, que j'ai dit. T'as compris du premier coup. Alors signe le nom de grand-maman.

Les yeux lui sont sortis de la tête.

— Tu veux que j'imite sa signature?

— Oui, je veux aller en classe demain.

— Mais je ne peux pas...

— Tyler, si je ne lui montre pas ce papier signé, le directeur va téléphoner à grand-maman.

Tyler était bien réveillé, maintenant. Il a demandé, à mi-voix:

— Et, alors, qu'est-ce qui va arriver?

— Devine, que j'ai dit, écrasé soudain par tout ce qui m'était arrivé ce jour-là.

Tyler n'avait pas à deviner. Il connaissait la réponse aussi bien que moi.

— L'Assistance sociale?

— Oui. C'est là qu'ils se mettent à s'occuper de nous.

On pouvait s'en tirer tout seuls, Tyler et moi, j'en étais certain. Bien mieux que si des étrangers nous prenaient en charge dans une famille d'accueil, mais je roulais ma bosse depuis assez longtemps pour savoir qu'on ne tiendrait pas compte de mon opinion.

— Passe-moi le stylo, a dit Tyler.

La signature était bien imitée. Pas étonnant. Grand-maman a montré à écrire à Tyler parce qu'elle ne faisait pas confiance à son professeur de troisième année. Avec le résultat que Tyler écrit comme elle. Pas tout à fait, mais assez pour qu'on s'en tire pour l'instant. En mon for intérieur je savais bien que ce «pour l'instant» ne durerait pas bien longtemps: juste le temps qu'on cesse de croire que rien n'avait changé.

J'ai mis la lettre dans ma poche, sauté dans le lit, fermé la lumière et dit:

— Merci. C'est du beau travail.

— Mets-en, a répondu Tyler d'un ton las. Tu pourras en témoigner quand ils me mettront en prison pour signature contrefaite.

J'ai ri.

— Tu t'en fais trop, Tyler. Je te rendrai visite en tôle. Maintenant, tais-toi et dors.

— C'est toi qui parles, pas moi.

Peut-être, mais le dernier mot, c'est toujours lui qui s'arrange pour l'avoir. Les draps se sont froissés pendant qu'il s'allongeait pour dormir et je me suis retourné en essayant de faire comme lui.

4

Allongé dans le noir, j'ai réfléchi. Tyler occupait mes pensées. Il avait grandi, le petit. Au point — ça m'a fait sourire — d'essayer de se mesurer à son frère aîné. Je me suis demandé si, sous sa gentillesse naturelle, il ne cachait pas un tempérament bien trempé.

La nuit était si calme que j'entendais la respiration de Tyler, profonde et régulière. J'ai poussé un soupir. Quelle chance il avait de pouvoir faire ça: oublier le monde et dormir, et à demain les problèmes! J'aurais bien voulu en faire autant, mais j'étais trop tendu et des millions de questions se bousculaient dans ma tête. Des questions, seulement. Dont je ne connaissais pas les réponses.

Soudain, la respiration égale s'est arrêtée. J'ai entendu Tyler se rasseoir.

— Man, qu'il a dit, bien éveillé, qu'est-ce qu'on va devenir?

— Pas de panique! On va juste garder la chère tante Ruth aux alentours, au cas où quelqu'un s'informerait, puis on va continuer à se tirer d'affaire tout seuls...

Tyler m'a coupé la parole.

— Je veux dire *après*, qu'il a dit, et je l'ai entendu ravaler sa salive. Si grand-maman...

Il s'est arrêté, mais j'avais compris. J'ai pas essayé de lui mentir. J'ai beau m'en tirer avec les autres, avec Tyler, ça ne prend pas.

— Je n'en sais rien, que j'ai admis, roulant mon oreiller en boule contre la tête du lit et m'asseyant, moi aussi.

«La nuit va être longue, que je me suis dit, dans ma tête. J'ignore ce qu'on va devenir, toi et moi, mais je sais bien ce que je deviendrais si j'étais tout seul. Je partirais d'ici. Je ferais du pouce jusqu'à Calgary. Ou, peut-être, jusqu'à Vancouver. Non. Pas à Vancouver. Jamais plus à Vancouver. Pourquoi pas en Californie alors? Les hivers albertains, j'en ai soupé. Pour l'avenir, je veux des plages et des bikinis. Je m'en tirerai très bien, costaud comme je suis. Oui, seul, je m'en tirerais.»

Tyler a interrompu le cours de mes pensées une autre fois et m'a soufflé doucement:

— On pourrait peut-être trouver papa.

Il ne faisait jamais de vagues, quand il parlait de papa. Il n'en parlait pas souvent, vraiment. Je me demandais même s'il se souvenait de lui. Il avait seulement trois ans quand le bonhomme avait déguerpi. Moi, j'avais six ans, et je me rappelais beaucoup de choses à son sujet. Physiquement, je ressemblais à ce grand gaillard bronzé aux gros muscles et au mauvais caractère, qui rentrait le soir en gueulant, qui repartait le matin en gueulant et qui se défoulait en nous battant, maman et nous.

Je savais que maman l'avait aimé à la folie. Tellement qu'elle s'était enfuie avec lui, contre le gré de sa mère qui avait juré de la déshériter si elle partait. Maman avait la tête dure. Elle était partie avec lui et avait tenu le coup pendant cinq ans. C'est lui, en fin de compte, qui était parti aux puits de pétrole d'Égypte ou de quelque pays comme ça, en la plantant là avec ses deux enfants. À ma connaissance, il n'en était jamais revenu.

— Compte pas là-dessus, Tyler, que j'ai dit. S'il avait voulu nous reprendre, il l'aurait fait avant aujourd'hui.

— Bon, alors, a soupiré Tyler, as-tu autre chose à proposer?

Il y a eu un long silence. J'ai fini par dire:

— On ne trouvera pas de solution cette nuit, mais fais-moi confiance. J'y réfléchis. Dors!

À qui j'essayais d'en faire accroire? On avait, devant nous, deux, peut-être trois jours avant que quelqu'un ne s'avise que la chère tante Ruth n'était plus avec nous — et ne l'avait jamais été. Alors, quoi? Qu'adviendrait-il? Le foyer d'accueil de nouveau? J'ai serré les poings dans mon oreiller. Non! Plus de foyer d'accueil. Je m'en enfuirais comme je l'avais fait, déjà. J'étais prêt à recommencer.

Quand maman s'était enfuie avec papa, elle s'était coupée de sa famille. Grand-maman avait dit qu'elle ne voulait plus la revoir jamais, et maman était trop fière et trop obstinée pour demander grâce. Personne ne savait que nous avions une grand-mère. Pas même nous. Après la mort de maman, comme papa avait disparu depuis longtemps, ils nous ont mis dans un foyer d'accueil. Dans *des* foyers, je devrais plutôt dire. Nous en avons fait sept en un an et, chaque fois que je me sauvais, j'emmenais Tyler avec moi. Ces foyers! Quelques-uns étaient si épouvantables que je refuse même de m'en souvenir. Il y en a eu un ou deux de potables. Une des dames a été vraiment bonne pour nous. Elle me faisait penser à maman. J'imagine que c'est pour ça que je l'ai fuie. De certaines des autres places, va donc savoir pourquoi j'ai fugué. Je n'en sais rien moi-même.

Cela dit, après le septième foyer, ils nous ont pris en main. Que faire de nous? Nous séparer, peut-être, et m'enfermer quelque part. Un travailleur social, un certain M. Wong, s'est révélé un gars spécial. Avant de se résoudre à ça, il a étudié le dossier de maman, une fois de plus, trouvé son certificat de naissance, et retracé sa mère. C'est comme ça qu'on a échoué chez grand-maman.

— Eh! a dit Tyler, en interrompant le cours de mes pensées. Je gage que Laura nous aiderait.

— Laura!

J'ai pratiquement hurlé le mot, dans le noir de la chambre.

— Ne dis rien de ce qui nous arrive à cette vieille fouine.

— Laura n'est pas une vieille fouine, a répliqué Tyler, en criant aussi fort que moi, deux fois plus fâché que moi. Tu vas retirer ça.

Oh, là là! Il a du caractère, après tout, le petit frère. En moins de deux, la première bataille à coups de poings disputée entre nous la nuit s'était déclenchée.

— Ça va, ça va, que j'ai dit, en reprenant un peu mes esprits. Je sais que tu l'aimes, mais si tu lui révèles qu'on est seuls ici, elle va sauter à pieds joints dans nos affaires, comme chaque fois qu'elle a l'occasion de se mêler des affaires des autres.

— Tu la détestes parce qu'elle voit à travers toi et que c'est la seule prof qui l'ait jamais fait.

Ça m'a étampé raide. Je me suis demandé s'il n'y avait pas un peu de vrai dans ça. Laura, c'est autre chose qu'un prof ordinaire. En fait, c'est plutôt une suppléante. Quand elle n'enseigne pas, elle dirige un ranch à quelques milles de la ville. Toute seule. J'ignore si elle a jamais eu un mari. Pour l'instant, non. Ça n'a rien d'étonnant. Elle est bien trop autoritaire pour qu'un homme souhaite partager sa vie.

Trop autoritaire en tout cas, pour que moi je souhaite vivre avec elle. Je m'en suis rendu compte, l'hiver passé, quand M. Nowakowski, notre professeur de langues, s'est absenté pendant un grand mois pour faire redécorer sa vésicule biliaire ou quelque chose comme ça. Et qu'on a eu Laura

McConnell, Laura, comme elle nous a dit de l'appeler... «Les titres n'ont rien à voir avec le respect», qu'elle a dit.

Alors, voilà, la plupart des suppléants se contentent d'occuper un espace, de prévenir les blessures graves aux individus et les dommages à la propriété. Ils n'essaient pas vraiment d'enseigner. Si tu t'es acquis une réputation de fauteur de troubles, ils s'ôtent de ton chemin en espérant que tu ne sois pas dangereux. Pas Laura. Laura a tout de suite décidé que je ne donnais pas mon maximum — c'est comme ça qu'elle s'exprime. Elle a sans doute raison: je m'applique rarement. Mais elle m'a entrepris là-dessus. J'ai eu des retenues chaque fois que je ne faisais pas mes devoirs, et des études supplémentaires quand je ratais un examen. Ben quoi! Elle mêlait école et ranch et me prenait pour un poulain sauvage qu'elle viendrait à bout de dresser, dût-elle y laisser sa peau.

L'argument massue, ça été cet examen trimestriel qu'elle nous a flanqué. Très difficile. Sans questions objectives où tu mets la réponse au hasard. Juste des pages et des pages de lecture et d'écriture. Quand j'en suis arrivé à la dernière question, un essai de deux pages, j'ai rué dans les brancards. Le bouquet, c'est que la moitié des élèves avaient déjà fini et étaient rentrés chez eux. Si je ne rédigeais pas cet essai, je ratais l'examen. Et alors? Ça m'était déjà arrivé. Je pourrais me reprendre. J'ai lancé le papier sur le pupitre de Laura et je me suis dirigé vers la porte. Mais je ne l'ai pas atteinte.

— Manuel, tu as oublié quelque chose, m'a-t-elle dit, aimablement.

Je suis revenu sur mes pas, et mon papier m'a été flanqué à la figure.

— Tu as oublié de finir ceci, qu'elle m'a dit, d'une voix tellement dure qu'on aurait pu s'en servir pour couper du verre. Assieds-toi et ne te relève pas tant que ça ne sera pas au point.

Ses yeux d'acier m'ont transpercé comme des lasers. Je l'ai regardée fixement. Personne ne me faisait ça à moi. Quelque chose dans les yeux de Laura m'a signifié qu'elle, oui.

Mes yeux furieux fixés sur elle, je me suis assis et j'ai boudé pendant une demi-heure. Puis, la cloche a sonné. Les derniers zélés sont partis et je me suis levé pour les suivre. Laura a branlé la tête.

— Non, Man. Je t'ai dit de finir ton examen. Et c'est ça que ça veut dire. Il n'y a pas de limite de temps pour cet examen. Je peux attendre.

Le siège a duré jusqu'à quatre heures trente. C'est là que je me suis rendu et que je me suis mis à écrire. L'un des sujets était la liberté, et j'ai soudain eu beaucoup à dire là-dessus. À cinq heures, j'avais fini. J'ai décroché la quatrième meilleure note de la classe.

Cette expérience m'a appris deux choses: que j'étais moins cloche que je ne le pensais et que je devais me tenir loin de Laura McConnell.

Mais entre Tyler et elle, c'était une autre paire de manches. Ils s'étaient rencontrés quand elle avait fait de la suppléance dans sa classe de cinquième et, comme Tyler donne toujours son maximum, ils se sont bien entendus, surtout quand Laura a découvert que Tyler est fou des chevaux et qu'il rêve de devenir cow-boy.

Laura lui a donné sa chance. Elle s'est mise à l'emmener à sa ferme et lui a appris à monter. Depuis, il passe un week-end sur deux là-bas.

Plus je pensais à Tyler et à Laura, plus je me rendais compte que je n'étais pas correct avec mon frère. Une idée m'est venue.

— Eh, Tyler, que j'ai dit, lentement.

Pas de réponse.

— Tyler!

Le petit maudit s'était endormi.

5

On est arrivés en retard à l'école, le lendemain matin. Je me demande pourquoi on s'est donné la peine d'y aller. Ce Tyler, jamais il n'aurait eu l'idée de *foxer* tant qu'il avait un souffle de vie. Moi, je ne savais pas quoi faire d'autre.

Les cours étaient commencés depuis quinze minutes environ quand on s'est pointés dans le hall d'entrée. Comme on passait devant les toilettes des garçons, la porte s'est ouverte et mon vieux pote Keith en est sorti.

— Eh, Man! qu'il a dit, je t'attends caché ici depuis un grand bout de temps. Je commençais à croire que Steiger t'avait mis en tôle. Qu'est-ce qui se passe?

Keith jouit de voir les gens mal pris. Il reniflait comme un chien de chasse qui sent l'odeur de l'opossum dans le vent.

Je l'ai regardé, avec ses cheveux laqués d'une graisse qu'il trouve *cool*, ses deux boucles pendues aux oreilles et son sourire idiot et je me suis rendu compte que ça ne me réjouissait pas de le voir. Il est plus vieux que moi d'une couple d'années, et j'imagine que je passe pour son meilleur ami parce qu'on se tient beaucoup ensemble. En réalité, ce n'est pas vrai. Keith aime ma compagnie parce que je passe pour un dur et que lui se prend pour un méchant cowboy.

De Keith, il y a seulement deux choses que j'aime. La première, c'est que ses parents sont divorcés et que sa mère est occupée à essayer de retrouver ses dix-huit ans. Sa vie sociale ne lui laisse pas beaucoup de temps pour Keith, ce qui fait qu'il est le seul gars du bout aussi libre de courir les rues que je le suis. La deuxième chose — la plus importante — c'est sa moto: une grosse Honda Shadow 500 noire, puissante. Son père, maintenant établi à Calgary, la lui a achetée pour ses seize ans. Ça faisait partie de la guerre entre lui et la mère de Keith: à défaut d'obtenir la garde de son fils, il achèterait son amour. Mais ça ne m'avait pas l'air de marcher: Keith n'aimait personne. Il n'aimait même pas la moto. Pas comme moi je l'aimais, en tout cas. Il en avait plutôt peur. Pour ce petit maigre, poussé en asperge, le Shadow était trop puissant. Le Shadow était de ma taille à moi.

J'ai secoué la tête et continué d'avancer, dans l'espoir que Keith s'en irait. Je ne voulais pas parler de la nuit d'avant. Il a suivi. J'ai abandonné.

— Ça ne me visait pas, que j'ai dit. Ma grand-mère a eu une attaque. Steiger nous a emmenés à l'hôpital.

Les yeux de Keith se sont agrandis.

— Sans blague! Misère! La tante de ma vieille a eu une attaque comme ça et elle est devenue un légume. Tout le monde disait qu'elle serait mieux de crever parce que, de toute façon, c'était juste une question de temps.

J'ai jeté un regard à Tyler. Il avait l'air prêt à vomir. J'ai jeté:

— Ferme-la, Ericsson.

Il a eu l'air insulté.

— Bon, c'était juste pour...

— On sait bien, que j'ai dit, agacé, en m'éloignant. Viens-t'en, Tyler, on va avoir des billets de retenue.

Keith s'est encore interposé.

— À propos de billets... tu m'as dit de t'en procurer un pour le spectacle de AC/DC. Ma vieille va les prendre à Calgary, aujourd'hui. T'es pas pour te défiler, hein? Je veux dire: qu'est-ce qui arrive, si ta grand-mère...

Je l'ai fusillé du regard et, cette fois, il a lâché prise. Pas pour longtemps, hélas! Il m'a rappelé:

— Oublie pas que ces affaires-là coûtent vingt-cinq piastres chacune. Si je reste pogné avec ton billet...

J'ai coupé:

— Ça va, ça va, j'ai compris. Je le veux toujours.

À ce moment-là, ce billet était à peu près le neuf cent quatre-vingt-dix-neuvième problème sur ma liste, mais j'aurais dit n'importe quoi pour faire taire Keith.

— Eh! Respire par le nez! Je m'informais, c'est tout, qu'il a dit, en me jetant un regard noir avant de tourner les talons.

Tyler et moi, on a marché vers le bureau. Tyler m'a regardé.

— Qu'est-ce que tu peux bien lui trouver, à ce gars-là, Man? qu'il a dit, d'un air si sérieux que ça m'a fait sourire.

— Je me le demande, moi aussi.

On s'est assis sur le banc et on a attendu que la secrétaire, Mme Batten, lève les yeux de sa machine à écrire et vienne voir ce qu'on voulait. Aller chercher des billets de retard, c'est une des affaires les plus brillantes du système scolaire. T'es en retard, alors tu viens ici et tu attends jusqu'à ce que tu sois encore plus en retard. Typique.

Pendant qu'on était là, la porte de la salle des profs s'est ouverte. J'ai levé les yeux et j'ai quasiment sacré tout fort. Laura McConnell était la dernière personne que j'aurais voulu rencontrer ce matin-là. Et, sitôt qu'elle a réalisé que c'était moi qui étais assis là, j'ai presque vu les roues commencer à tourner dans sa tête. Elle a regardé l'horloge et j'ai su ce qu'elle pensait. Elle se préparait à me gronder de mon retard mais, juste à temps, Tyler l'a aperçue et ses yeux se sont illuminés comme s'il venait de décrocher le gros lot. Il a dit:

— Laura!... (et la figure hâlée de celle-ci s'est fendue d'un sourire.)

— Bonjour, Tyler. Ça fait longtemps que je t'ai vu. Où étais-tu, les derniers week-ends?

— J'avais une rencontre d'athlétisme, samedi dernier. La semaine d'avant, c'était l'expo-science. J'espérais aller chez vous ce samedi, mais... (il m'a jeté un coup d'œil, a saisi mon signal et n'a pas mis de temps à se retourner) mais je ne sais pas si j'aurai le temps.

Avant que Laura y ait compris quelque chose, il avait changé de sujet.

— Comment va la pouliche alezane? Est-elle dressée, maintenant?

— Chance? Elle fait du progrès. Je l'ai montée quelques fois. Elle est encore un peu nerveuse, mais elle est pleine de qualités. Tout ce qu'il lui faut, c'est de travailler. C'est pour ça que j'espérais te voir arriver et la monter à ma place. Elle vient tout juste d'avoir deux ans et je suis un peu lourde pour elle.

Juste là, Mme Batten a levé les yeux et nous a vus. Elle s'est avancée vers nous comme une souris a moitié endormie pour voir ce que nous lui voulions. Avant qu'elle nous ait rejoints, le téléphone a sonné. Elle a tourné les talons et est allée répondre, a écouté une minute et m'a regardé — Dieu sait pourquoi — par-dessus l'épaule.

— Mais oui, je peux l'atteindre immédiatement, a-t-elle dit dans l'appareil. Il est ici même. Un instant, je vous prie.

Elle s'est tournée vers moi.

— C'est pour toi, Manuel.

Je l'ai regardée, estomaqué. Qui pouvait bien me téléphoner à l'école? En me rendant à l'appareil, j'ai eu une prémonition de qui ça pouvait être, et de quoi il serait question. Je n'étais pas certain de vouloir entendre ce qu'on allait me dire.

— Allô, ai-je dit, réticent.

— Est-ce Manuel Jamieson?

— Oui.

— Manuel, ici le docteur Musiak. (J'avais bien deviné.) J'ai téléphoné au numéro de ta grand-mère, à la maison. Je croyais que ta tante serait là, mais je n'ai pas pu l'atteindre.

Il y a eu une pause: il attendait peut-être que je dise quelque chose. Étant donné les circonstance, c'était plutôt à lui de parler. Il s'est éclairci la voix et a hésité, comme s'il ne trouvait pas ses mots.

— Manuel, l'état de ta grand-mère s'est gravement détérioré au cours de la nuit. Elle est très mal en point, mais elle a repris connaissance et elle vous demande, toi et ton frère. Je crois que vous devriez venir ici le plus tôt possible. Peux-tu joindre ta tante pour qu'elle vous emmène?

— Non.

C'est le premier mot qui m'est venu à l'esprit, et c'était la réponse à tout. Avant qu'il dise autre chose, j'ai ajouté:

— On s'en vient.

Et j'ai raccroché.

Mes yeux ont croisé ceux de Tyler. À voir sa mine, je savais qu'il avait compris de quoi il retournait. Il a demandé, en s'étouffant presque avec les mots:

— Est-elle...?

J'ai fait non de la tête.

— Elle veut nous voir. Allons-y.

Je me suis dardé vers la porte.

— Que se passe-t-il, Tyler? s'est informée Laura, d'une voix gentille que je ne lui connaissais pas.

Tyler a hésité. Il m'a jeté un regard mi-défi, mi-excuse. Puis, en regardant Laura, il a murmuré:

— Grand-maman a eu une attaque. Elle est très malade et elle veut nous voir, Manuel et moi.

Sans faire ni un ni deux, Laura a pris le commandement des opérations.

— Venez! qu'elle a dit, en entourant les épaules de Tyler de son bras. Je vais vous conduire à l'hôpital.

Elle s'est tournée vers moi, mais avant qu'elle ait pu dire quoi que ce soit, Mme Batten l'a interrompue.

— Si vous partez, il vous faudra des dispenses de départ prématuré en plus des billets de retard, qu'elle a dit, en agitant les deux pièces de papier comme si le sort du monde en dépendait.

La goutte d'eau! Toute ma vie était sens dessus dessous, et elle voulait que je remplisse ses papiers. Je l'ai apostrophée:

— Vos papiers, vous pouvez vous les mettre où je pense, et...

Je n'ai pas pu terminer. La grande main ferme de Laura pressait mon épaule avec force.

— Partons, Manuel, qu'elle a sifflé entre ses dents, en me poussant presque vers la porte. Margaret, oubliez la paperasse. Je me rends responsable de ces deux-là.

6

L'instant d'après, on s'est retrouvés dans la camionnette de Laura. «Tu vois, Tyler, que j'ai pensé, qu'est-ce que je t'avais dit? Avant même qu'on s'en aperçoive, elle mène le bal.»

Cinq minutes plus tard, on entrait dans le parking de l'hôpital. J'ai ouvert la portière, je suis sorti et j'ai attendu que Tyler en fasse autant. Je n'avais pas l'intention de me forcer pour dire merci, mais, au lieu de s'en aller, Laura est sortie. Je pouvais à peine y croire: elle s'est mise à marcher d'un bon pas vers la porte, à côté de Tyler. Voilà-t-il pas qu'elle nous accompagnait! C'était aussi inattendu que la nuit d'avant avec Steiger. J'ai marché deux longueurs derrière eux, en faisant comme si je ne la connaissais pas mais, quand on est arrivés à la réception, j'ai été content qu'elle soit là. C'est elle qui a fait la conversation avec l'infirmière de garde et elle s'en est tirée beaucoup mieux que moi. Une minute plus tard, une garde nous a conduits le long du corridor jusqu'à la porte des Soins intensifs.

— Attendez là, s'il vous plaît, a dit la garde en disparaissant à l'intérieur.

Oui, j'attendrais. J'attendrais aussi longtemps qu'il le faudrait. Pas le goût d'entrer là. Je ne me sentais pas à mon aise avec les malades. Qu'est-ce que je pourrais bien dire à grand-maman? J'aurais préféré ne pas la voir.

Pendant une petite minute, j'ai regardé Laura qui parlait doucement à Tyler et je lui ai presque été reconnaissant. Vraiment, elle lui faisait du bien, je m'en rendais compte. Mais elle était mieux de se tenir loin de moi.

La porte s'est ouverte et le docteur Musiak est sorti, déclarant posément:

— Ça va, les gars. Vous pouvez la voir maintenant. Un à la fois. Et pour une minute seulement. Elle est très faible.

Il s'est penché vers Tyler et a demandé:

— Tu es Tyler?

Tyler a fait oui. J'avais le cœur gros en le regardant. Je savais à quel point tout cela le touchait, mais il faisait front avec beaucoup de cran.

— Elle veut te voir d'abord, a dit gentiment le docteur, en lui ouvrant la porte.

Puis, il a signifié à Laura qu'il valait mieux qu'elle l'accompagne, ce qu'elle a fait.

Je suis resté là, tout seul dans le corridor, la tête remplie de pensées disparates. Et toutes ces pensées étaient sombres. Elle voulait voir Tyler en premier. Facile à comprendre: Tyler avait toujours été son préféré. Comment l'en blâmer? Si j'avais été à sa place, c'est Tyler que j'aurais préféré, moi aussi; elle me traitait mieux que je ne le méritais, avec toutes les misères que je lui faisais. Mais il y avait toujours comme un mur dressé entre elle et moi.

Et voilà que Laura entrait là-dedans comme si elle était de la famille! Et Tyler trouvait ça naturel. Qu'était-ce donc qui rendait Laura si spéciale à ses yeux, tout à coup? Pourquoi c'était pas moi qui entrais avec lui? J'étais son frère.

La porte s'est ouverte. Laura et Tyler sont sortis. Le visage de Tyler était mouillé, mais il ne pleurait plus. Pas tout à fait.

— Elle veut te voir, Man, qu'il a dit, la voix étouffée.

J'ai pris une grande respiration et je suis entré à mon tour dans la pièce. D'abord, je n'ai pas reconnu ma grand-mère. Je regardais cette étrangère très pâle, aux cheveux épars, allongée au milieu d'un fouillis de tubes et de fils. Je suis resté figé.

Le docteur Musiak a levé la tête du cadran d'une machine quelconque qu'il ajustait. Il a dit:

— Entre, Manuel. Il faudra t'approcher d'elle pour l'entendre.

Comme un robot, je me suis rapproché du lit. Le gars qui était là, ce n'était pas moi. Rien de tout cela n'était réel. L'étrangère sur le grabat a tourné la tête vers moi. Elle a tendu sa main maigre et m'a touché le bras. J'ai voulu reculer, mais j'ai résisté à cette impulsion. «Je t'en prie, grand-maman. Non. N'essaie pas de te rapprocher de moi maintenant. C'est trop tard.»

Elle allait mourir et elle tendait la main vers moi. Qu'est-ce qu'un gars fait? Sa main froide et moite a touché la mienne et l'a pressée faiblement. Ma main n'a pas bronché, immobile comme une pierre, mais, à l'intérieur, je frissonnais. Elle m'a fixé du regard, non, elle a regardé à travers moi, comme si ses yeux bleus fanés, vagues, mal réglés, voyaient un autre endroit, un autre temps. Elle a murmuré:

— Kathy?

Je l'ai regardée sans comprendre. Et, soudain, j'ai su. Kathy c'était le nom de ma mère.

«Oh Seigneur, aidez-moi!» Je ne suis pas capable de vivre ça. Je restais là, figé, tellement tendu que j'en avais mal. Elle s'est remise à parler. Sa voix était si faible que j'entendais à peine les mots. Un fantôme, parlant à un fantôme.

— Kathy, j'ai toujours été inflexible envers toi, a-t-elle dit, en bougeant un peu la tête. Et tu étais si têtue. Si dure envers toi-même. Si seulement on avait pu donner du lest un petit peu, toutes les deux, je ne t'aurais peut-être pas perdue. Mais il est trop tard, Kathy.

Sa voix s'est étouffée et une larme a glissé sur sa joue ridée.

«Fais-moi pas ça, grand-maman. Parle de n'importe quoi, mais pas de maman.» J'étais en nage. Je voulais fuir, mais elle tenait toujours ma main. Elle a levé un peu la tête et m'a regardé une seconde sans me voir, puis elle m'a reconnu.

— Manuel, qu'elle a dit — et elle avait l'air presque surprise. Je parlais à ta mère. Tu lui ressembles tellement.

J'ai hoché la tête. Elle s'en allait, vraiment. Moi, ressembler à ma mère? Voyons donc! C'est Tyler qui lui ressemblait.

Petit et blond. À part les yeux, j'étais le portrait tout craché de mon père.

Grand-maman parlait toujours.

— Tous les deux, vous êtes trop obstinés. Trop fiers. Trop têtus. Vous voulez grandir trop vite.

Elle divaguait. Sa voix faiblissait. J'essayais de ne pas l'entendre, mais les mots passaient quand même.

— Je t'ai toujours blâmé de tout, Manuel, c'était plus fort que moi. C'est moi-même que j'aurais dû blâmer. Si j'avais seulement su pardonner!

Elle a paru prendre des forces, a redressé la tête et, la voix plus forte, elle a dit:

— Je ne te fais plus de reproches, Manuel. Et ta mère ne t'en fait pas, non plus. Il est temps que tu cesses de te sentir coupable.

Ses yeux se sont plantés dans les miens pendant une seconde, et sa poigne s'est durcie sur ma main. Puis, elle s'est affaissée et sa main est devenue molle.

J'ai regardé le petit cadran au-dessus de son lit. Le docteur Musiak le regardait, lui aussi. La petite lueur n'y dansait plus.

— C'est fini, a-t-il dit doucement, en se tournant vers moi. As-tu compris ce qu'elle essayait de te dire?

Je l'ai regardé. Et c'est comme s'il avait été très loin.

— Non, que j'ai répondu, en franchissant la porte, les yeux secs.

Je suis passé devant Laura et Tyler comme s'ils n'étaient pas là. Laura a tendu la main et m'a touché l'épaule.

— Man? qu'elle a dit doucement, es-tu...

Je me suis arraché à son geste et j'ai crié:

— Laissez-moi tranquille, Laura!

Je suis allé à la fenêtre au bout du corridor et j'ai regardé dehors en essayant de penser. Ou, peut-être, de ne pas penser. Je ne sais pas trop. J'étais tout mêlé. Cesse de te sentir coupable, avait dit grand-maman. Certain, grand-maman. Facile. Allez, on ferme. On ferme le robinet des remords dès maintenant.

Le docteur Musiak s'est arrêté derrière moi et a posé sa main sur mon épaule. Je l'ai écarté.

— C'est correct, fiston, qu'il a dit gentiment. Laisse-toi aller. Pleure.

— Je ne pleure pas. (Je l'ai dit brutalement, en refoulant mes larmes.)

— Bon, qu'il a dit. Bon!

Puis, indiquant Laura du geste:

— C'est ta tante?

J'ai riposté:

— Quelle tante?

Mais je n'avais pas sitôt dit ça que j'ai réalisé mon erreur. Le spectacle était fini, de toute façon. Impossible de passer au travers des funérailles sans que la vérité se sache.

De penser aux funérailles me rendait fou. Non, je ne pourrais pas subir un autre service funèbre. Je n'irais pas. Désolé grand-maman. Rien de personnel. C'est juste que je ne me suis jamais relevé de l'autre. Essaie de comprendre, grand-maman. Peut-être que toi, tu peux me pardonner. Moi, je ne peux pas.

Une autre pensée m'est venue: Tyler. Il serait toujours là, Tyler, pour occuper mes pensées. Lui, voudrait y assister. Et il voudrait que je l'y accompagne.

Le docteur Musiak m'a ramené dans le présent en réfléchissant tout fort.

— L'histoire de la tante m'intrigue. Quel âge as-tu, Manuel?

— Quinze ans.

— Et ton frère?

— Douze.

— Et vous n'avez pas de parenté?

J'ai secoué la tête. Après neuf ans, papa ne comptait plus. Le docteur s'est frotté le front, fatigué. Pauvre gars. Il avait passé la nuit au chevet de grand-maman, et, maintenant, il était pris avec un autre problème dont il fallait qu'il s'occupe.

Laura s'est avancée.

— Je pourrais les emmener chez moi, pour l'instant, qu'elle a dit. Je m'appelle Laura McConnell.

Ça m'a fouetté. J'ai pivoté sur mes talons, un non dessiné sur les lèvres. Un non que j'ai retenu à temps. Ferme-la, Man! La première affaire, c'est de sortir d'ici au plus sacrant. Tu fais des vagues et ils vont te faire poireauter ici toute la journée pendant qu'ils essaient de trouver quelqu'un du Service social.

Le docteur a hésité.

— Bien, je crains que les lois de l'État n'indiquent que, dans un cas comme celui-ci, je doive informer les Services sociaux avant de remettre des enfants à quelqu'un qui n'est pas de leur famille.

Une autre théorie chez le diable, Man, que je me suis dit, en me demandant si je ne devrais pas couper là et me mettre à courir. Le docteur continuait sa réflexion et sa figure lasse s'illuminait.

— ... M. Nicholson, du Bien-être social devait venir voir un patient à l'hôpital aux premières heures, ce matin. Je crois qu'il est encore ici. Je vais le faire prévenir. Peut-être pourrons-nous régler l'affaire immédiatement. Restez un moment dans la salle d'attente, je vous prie.

Tyler s'est assis à côté de Laura. Je me suis assis à l'autre bout de la pièce et j'ai fait semblant de lire un magazine. Ça n'a pas été long que Tyler est venu me rejoindre.

— C'est mieux comme ça, hein, Man?

J'ai levé les yeux sur lui.

— Grand-maman, qu'il a dit, en retenant un sanglot. Elle a dit que c'était correct, qu'elle était bien fatiguée et que ça ne l'embêtait pas de mourir. Elle a dit de ne pas avoir de chagrin pour elle. Puis, elle a ajouté qu'elle m'aimait, et — sa voix s'est brisée et il a passé son bras sur ses yeux — ça été tout.

Il a respiré en tremblant une couple de fois et a repris ses esprits.

— À toi, Man, qu'est-ce qu'elle a dit?

De l'autre côté de la pièce, les yeux de Laura étaient fixés sur moi. J'ai dit à Tyler:

— Elle m'a aussi dit qu'elle m'aimait.

Le docteur Musiak est alors entré dans la pièce avec Nicholson, des Services sociaux. On se connaissait depuis longtemps, Nicholson et moi. C'est lui qui était venu à la maison, les deux fois qu'ils avaient failli m'arracher à grand-maman parce que, comme le chien fou que j'étais devenu, je me flanquais tout le temps dans le pétrin. Je n'étais pas ravi de le revoir.

Le docteur a présenté Nicholson à Laura, puis il nous a dit, à Tyler et à moi, d'attendre pendant que Laura et Nicholson iraient au bureau pour parler. Nous avons attendu longtemps. Finalement, j'ai dû aller aux cabinets. J'avais vu une toilette au bout du corridor. J'ai dit à Tyler:

— Je reviens dans une minute.

Et je me suis avancé lentement, la tête à des millions de milles de là. J'allais y entrer quand il m'a semblé entendre la voix de Laura. La porte du bureau où le docteur Musiak m'avait parlé, la veille, était entrouverte. Je me suis arrêté et j'ai écouté. C'était bien Laura et Nicholson qui étaient là.

— C'est vraiment un bon petit gars, ai-je entendu Laura déclarer. Je serais heureuse de l'avoir avec moi et je crois que vivre chez moi lui serait bénéfique.

Il y a eu une pause, puis la voix de Nicholson:

— Oui, ça peut certainement s'arranger, mais que devient Manuel, là-dedans? Quand c'est possible, nous essayons de ne pas séparer les enfants d'une même famille.

Il y a eu une pause plus longue, puis Laura a dit, d'un ton que je n'ai pu reconnaître, mi-rire, mi-ennui:

— Manuel? Manuel, c'est une autre histoire.

J'en avais assez entendu. Furieux, je suis entré dans la toilette et j'ai claqué la porte. Oui, Laura, Manuel, c'est une autre histoire, et arrangez-vous pour ne pas l'oublier.

En revenant vers la salle d'attente, j'ai essayé, tout du long, de comprendre contre quoi j'en avais vraiment. Mais je n'y suis pas arrivé.

Quelques minutes plus tard, une garde est venue prévenir Tyler de se rendre au bureau. Puis, on m'a appelé à mon tour. Quand je suis arrivé, Tyler et Laura se tenaient debout, plus loin dans le corridor, et ils parlaient ensemble. Je n'entendais pas ce qu'ils se disaient, mais ils avaient l'air plutôt contents tous les deux. Pas étonnant, que je me suis dit avec amertume, tous leurs problèmes sont réglés.

Je suis entré et je me suis affalé sur la chaise en face de Nicholson. Il a essayé la politesse et la pluie et le beau temps, au début. Je n'en ai pas tenu compte et je l'ai regardé froidement, attendant qu'il en arrive au vif du sujet. Il y est enfin venu.

— Eh bien, Manuel, tu sais qu'il nous faut établir où tu vivras désormais.

Je l'ai regardé, muet.

— Maintenant, bien sûr, nous devrions, selon notre habitude, essayer de trouver dans notre liste de familles d'accueil celle qui vous conviendrait, à ton frère et à toi. Toutefois, dans votre cas, Mme McConnell, qui est une personne respectable, consent à vous prendre tous les deux et elle en a les moyens.

— Prendre Tyler, vous voulez dire, ai-je coupé, la voix glaciale.

Nicholson m'a jeté un drôle de regard.

— Non, je veux dire: tous les deux.

Tout un changement avec ce que j'avais entendu quelques minutes plus tôt. Je me suis demandé combien d'extra on paierait Laura pour qu'elle me prenne aussi. J'ai hoché la tête.

— Pas question. Pas moi. Je n'irai pas vivre chez Laura. Pour tout l'or du monde.

Nicholson a poussé un soupir.

— Tu as une raison?

— Oui. Je ne l'aime pas.

Nicholson s'est pompé. C'était plutôt comique à observer. Ce gars super poli, qui ne perdait jamais les pédales et qui se trouvait, tout à coup, poussé à bout. Il s'est raclé la gorge.

— À dire vrai, Manuel, avec ton dossier de fugueur et ta réputation de fauteur de trouble à l'école et un peu partout en ville, tu serais un candidat plus indiqué pour le centre de détention juvénile que pour une maison d'accueil.

Il s'est arrêté pour que ça me fasse impression. Ça m'a fait impression. J'en étais venu bien près, à plusieurs reprises, mais je n'étais pas encore tombé dans ce panneau-là. Et je ne le voulais pas. Ils t'enferment.

— Alors, n'est-ce pas, ce que j'essaie de te dire, Manuel, a-t-il continué comme en s'excusant, comme si c'était sa faute à lui que je sois un si mauvais sujet, c'est que tu n'as plus beaucoup d'options. Tu es très chanceux que Mme McConnell consente à essayer. Elle te fait un cadeau, tu sais.

Je n'avais jamais entendu quelqu'un d'autre qu'un prof parler tant pour dire si peu. Et puis, j'en avais jusque-là d'entendre chanter les louanges de Laura McConnell.

— Ça va faire. J'ai pigé. Épinglez-lui une médaille et arrêtez les discours.

Nicholson a retiré ses lunettes.

— Manuel! qu'il a dit. Et son ton ne s'excusait plus. (Je me suis dit que j'étais mieux de donner du lest avant qu'il ne me place en centre de détention ou qu'il ne me rabatte son poing sur le nez.)

— O.K., O.K., oubliez ça, que j'ai dit.

Nicholson n'a pas répondu. Il s'est seulement frotté le front et a remis ses lunettes. Il souhaitait probablement que je dise que je regrettais. Mais je ne regrettais pas. Et je n'allais pas faire semblant.

— Je peux partir?

Nicholson a fait signe que oui, soulagé, je pense.

7

Quand nous sommes enfin sortis de l'hôpital, il était midi. Personne n'avait faim. Mais Laura nous a emmenés au restaurant du coin et nous a offert des hamburgers. Puis, on est passés chez grand-maman, chercher quelques affaires. Ça ne me tentait pas de retourner là. C'était comme de retourner dans un chapitre de ta vie qui est fini.

Laura est allée dans la cuisine et s'est mise à enlever des choses du réfrigérateur pour pas qu'elles se perdent. Tyler et moi, on est allés à notre chambre, le long du corridor désert. Sans dire un mot, on a commencé nos bagages. Tyler s'est arrêté et s'est tourné pour me regarder.

— Je te l'avais dit que Laura nous aiderait.

J'ai cessé mon paquetage pour riposter, sarcastique:

— Ben oui.

— T'es pas content?

J'ai lancé un survêtement dans mon havresac. En soupirant, j'ai dit:

— Écoute, Tyler, si vivre chez Laura et jouer au cow-boy, c'est ce que tu veux, tant mieux pour toi, mais c'est pas ce que moi, je veux.

Tyler s'est écrasé à plat ventre sur son lit et est resté là, le menton dans les mains, à m'observer. Il a demandé:

— Qu'est-ce que *toi*, tu veux, Man?

Je me suis assis sur le lit et j'ai tracé distraitement du doigt le motif de la couverture en tricot que grand-maman avait faite.

— Ce que je veux? Je veux quitter cette ville. Je veux aller dans la capitale. Là où il y a de l'action. Là où ils ne roulent pas les trottoirs, le soir, à neuf heures. Je veux oublier jusqu'au nom même de Crossing.

Je me suis levé et j'ai arpenté la chambre nerveusement. Tyler s'est tenu tranquille un grand bout de temps.

— Je comprends, qu'il a finalement dit. Si c'est ce que tu veux, fais-le. Mais je viens avec toi.

Je me suis tourné net pour lui faire face.

— Oh non! pas question. Les rues, c'est pas indiqué pour les petits gars.

— Je ne suis pas un petit gars. Je peux me tirer d'affaire.

La colère dans la voix de Tyler était sœur de la mienne. La voix de Laura nous a interrompus.

— Êtes-vous prêts, les gars?

Ses pas ont résonné dans le corridor, mettant fin à notre conversation, mais, à voir le regard plein de défi que Tyler me lançait, je savais qu'on n'en avait pas fini.

— Vous n'étiez pas suppléante à l'école, aujourd'hui, Laura? a demandé Tyler, pendant qu'elle faisait rouler sa camionnette jusqu'à la rue.

Laura a secoué la tête.

— Pas aujourd'hui. J'étais juste allée photocopier les papiers d'enregistrement des poulains.

Tyler est resté silencieux un moment, puis, en hésitant, il a demandé:

— Laura, est-ce qu'on pourrait retourner à l'école, pour l'après-midi?

Laura et moi, on l'a regardé. Bon, il était bouleversé, et tout, mais il fallait qu'il soit fou pour vouloir aller à l'école.

— Tu es certain que c'est ce que tu veux, Tyler?

— Oui, certain. On a un test de sciences très important, aujourd'hui. Grand-maman m'a aidé à étudier ma matière, avant...avant qu'elle tombe malade. Je lui ai promis que j'aurais des bonnes notes.

Sa voix s'est brisée et il a étouffé un sanglot. Laura lui a entouré les épaules d'un de ses bras et l'a serré en disant:

— Bien sûr, si tu es certain de pouvoir t'en tirer.

— Je m'en tirerai.

Il s'en tirerait, je le savais. Mon petit frère a de drôles d'idées, mais quel cran!

Laura a regardé de mon côté.

— Toi, Man? Tu veux aller à l'école aussi?

J'ai quasiment éclaté de rire. Moi, vouloir aller à l'école? Voyons donc, Laura. Revenez sur terre. Puis, j'ai pensé à l'alternative: passer l'après-midi avec elle.

— Oui, que j'ai dit.

Laura nous a déposés à l'école en nous disant qu'elle nous reprendrait à la fin de la journée.

La première session de l'après-midi, c'était les sciences sociales. Ça s'est bien déroulé. M. Pendleton a écrit des notes au tableau pendant le temps qui lui était alloué. Je ne les ai pas recopiées. Mais je me suis tenu tranquille. Pendleton a accepté le compromis.

Puis, ça a été la classe de sciences, et Mlle Phillips, la prof avec laquelle je m'étais mis dans le pétrin, la veille. O.K., Man, que j'ai pensé, fais pas d'étincelles. T'as pas besoin d'autres embêtements, aujourd'hui.

Phillips m'est tout de suite tombée dessus, demandant:

— Où est la lettre que j'ai envoyée à ta grand-mère?

Je l'ai tirée de ma poche et je l'ai lancée sur son pupitre. Elle l'a dépliée et l'a parcourue.

— Et qu'est-ce que ta grand-mère dit de ta conduite?

— Rien.

Je l'ai fixée droit dans les yeux. Elle a paru vouloir commenter. Mais non. Pas encore.

On a pratiqué des expériences sur les degrés d'évaporation, ou quelque chose comme ça. Phillips a divisé les élèves en groupes, et chaque groupe avait son éprouvette. Moi, j'en ai eu une pour moi tout seul. Elle ne me faisait pas confiance dans un groupe.

Lentement, j'ai soulevé le carton d'allumettes, j'en ai déchiré une, j'ai refermé le couvercle et je suis resté là à regarder l'allumette. Emporté par mes souvenirs.

Je ne sais pas combien de temps de suis resté planté là, mais, tout soudainement, Phillips était à mes côtés, l'œil mauvais. Je lui ai rendu son regard. Elle était jeune et jolie et faisait de son mieux pour jouer son rôle de professeur.

— Allez, Manuel, qu'elle a dit, sarcastique, si tu ne craques pas l'allumette, même ta personnalité incandescente ne viendra pas à bout de mettre le feu au bec Bunsen. Tu traînasses derrière les autres, comme d'habitude. Allume!

Je l'ai zieutée avec arrogance. Toi aussi, ma vieille, que j'ai pensé, mais je ne l'ai pas dit. Je n'ai rien dit. Je n'ai rien fait. Je savais que ça la rendait folle. Réussi. J'ai vu le rouge monter à ses joues.

— Manuel, qu'elle a dit, de la voix sèche typique des profs, tu as exactement trois secondes pour allumer cette allumette.

Oh, zut! c'était sérieux, son affaire.

Lentement, délibérément, j'ai laissé tomber l'allumette intacte sur le comptoir.

— Et si je ne le fais pas?

Le visage de Phillips a rougi davantage. Je me suis demandé si elle ne regrettait pas de s'être engagée dans cette aventure. Je souhaitais presque, pour elle, qu'elle n'ait pas fait ça. Vas-y mollo, ma vieille, que j'ai pensé. Cesse de me harceler et je vais me mettre au travail. De deux choses l'une: ou Phillips ne lisait pas dans les pensées, ou elle souhaitait vraiment mettre cartes sur table.

— Si tu ne le fais pas, qu'elle a dit, la voix glaciale, je t'envoie encore une fois chez le directeur.

Bravo, Man! Deux fois en deux jours. T'as vraiment besoin de ça, pas vrai? Bon, allume ton petit feu et cuisine ta petite expérience et rend la dame heureuse.

Je n'ai pas réussi à m'en convaincre. Je suis sorti de mes gonds et je lui ai lancé le carton d'allumettes.

— Si vous y tenez tellement, allez-y, allumez! que j'ai crié.

Puis, j'ai tourné le dos et je suis sorti de la classe à grands pas. Avant, cependant, j'avais eu le temps de voir que Mlle Phillips s'était mise à pleurer.

Où est-ce que je m'en allais? Je n'en savais rien. Juste dehors de cette école. J'y suis presque arrivé. Ma main touchait la porte centrale quand j'ai entendu la voix du directeur.

— Manuel! Reviens ici.

La longue marche dans le corridor m'avait quelque peu refroidi. J'ai fait demi-tour et je suis entré dans le bureau. M. Segal ne m'a même pas emmené dans son bureau privé. Il m'est aussitôt tombé dessus.

— Bon, Manuel. Qu'est-ce qui t'arrive *encore*? Mlle Phillips vient tout juste de me prévenir. Elle semblait bouleversée. Qu'as-tu fait dans sa classe?

— Rien, que j'ai répliqué, les yeux au sol. (La vérité, quoi! Mais ça ne lui a pas suffi et il a changé de sujet.)

— As-tu rapporté ton billet à la maison, hier soir?

— Oui.

— L'as-tu fait signer?

— Oui.

— Et qu'est-ce que ta grand-mère dirait, si je lui téléphonais maintenant et que je lui contais tes dernières frasques?

— Rien.

— Tu veux dire que ta conduite lui importe peu?

— Je veux dire — je l'ai regardé dans les yeux, et ma voix m'a trahi — qu'elle est morte.

T'aurais entendu une plume tomber. Segal est resté figé là, comme un poisson hors de l'eau qui cherche l'air. J'ai senti que quelqu'un se tenait derrière moi et j'ai regardé par-dessus mon épaule.

— Va dans la camionnette, Manuel, a dit Laura, d'une voix douce, mais ferme.

Pour une fois, je n'ai pas rouspété. Pendant que je me dirigeais vers la sortie, Laura et Segal entraient dans le bureau du directeur.

Le temps que j'ai passé dans la camionnette m'a paru long. La cloche a sonné. Les copains sont sortis en grappes et ont gagné les autobus, mais je n'avais pas la tête à ça et rien ne s'y enregistrait. Pas même la bataille dans la cour de récréation. Au début, en tout cas. Deux des plus jeunes morveux, dont un, beaucoup plus petit que l'autre se colletaillaient. Celui-là, justement, le petit blond, n'avait pas le dessus. L'autre type lui donnait une volée. À ce qu'il me semblait, du moins, j'étais encore trop agité par ce qui s'était passé en classe pour m'y intéresser. Le plus petit des deux avait quelque chose de vaguement familier. Brusquement, j'ai dégringolé de la camionnette.

— Tyler! que j'ai crié, en volant vers la cour, les talons aux fesses.

Les curieux se sont dispersés en me voyant venir. Le temps que j'arrive, il ne restait plus que Tyler sur place. Il était à genoux dans la poussière, essuyant ses lèvres ensanglantées sur la manche déchirée de sa chemise. Je l'ai engueulé en le remettant sur pieds.

— Veux-tu bien me dire ce qui t'a pris!

Je n'en croyais pas mes yeux. Tyler! Qui ne s'était jamais battu de sa sainte vie — ça paraissait.

Mais, battu ou pas, il n'allait rien prendre de moi.

— Qu'est-ce qui te prend toi-même? C'est avec tes poings que tu règles toutes tes affaires.

— Oui, que j'ai dit, en examinant sa lèvre; la différence, c'est que moi, ça me connaît.

Il m'a jeté un regard furieux sans rien répliquer. On s'est dirigés vers la camionnette. J'ai demandé.

— C'était quoi, la cause?

Tyler a examiné ses chaussures.

— Tu ne veux pas le savoir.

— Oui, je veux. (J'avais cessé de marcher.)

— Ça va, a soupiré Tyler. C'était à propos de toi.

— Moi?

— Oui. Des copains de ta classe parlaient de toi en sortant de l'école. Quelqu'un a dit que c'était ta faute si Mlle Phillips avait pleuré. Puis, Allen Morton a dit que tu étais un fou dangereux, un chenapan qu'on devrait emprisonner. Alors, je l'ai frappé.

La seule chose à dire — Merci, Tyler! — je l'ai dite, en dissimulant à peine un sourire. Et nous sommes montés dans la camionnette.

Une minute après, Laura y est entrée. Elle allait s'adresser à moi, quand elle a aperçu Tyler. Elle a hoché la tête en disant:

— Vous avez eu une rude journée, vous deux. Quelque chose que je devrais savoir, Tyler?

Et Tyler a répondu:

— Non, madame.

8

On s'est dirigés vers la maison — celle de Laura, je veux dire, parce que je ne considérais sûrement pas son ranch comme mon chez-moi. On y était presque rendus quand, sans crier gare, Laura a appliqué les freins si brusquement que j'ai laissé une marque indélébile dans le pare-brise.

— Zut! qu'elle a grommelé. J.R. est encore sorti avec les génisses.

J'ai mis du temps à comprendre, mais je me suis finalement rendu compte qu'elle parlait d'un taureau rouge et blanc qui paissait joyeusement avec d'autres jeunes bêtes.

Laura a ouvert sa portière et s'est apprêtée à sortir, disant, contrariée:

— Viens, Tyler, il va falloir qu'on fasse rentrer le sacripant dans le corral, sinon on aura des tas de surprises prématurées, le printemps prochain, comme avec la petite Corvette rouge, cette année.

J'ai regardé plus attentivement le troupeau de bovins. Si je me fiais à leurs noms, ces créatures devaient avoir une vie sociale vraiment intéressante.

Laura s'est faufilée à travers les fils de la clôture et a marché vers le pauvre J.R. qui ne s'y attendait pas. Elle lui a donné une tape sur la croupe. Il a relevé la tête, la gueule pleine de trèfle. En jetant un regard désolé à toutes les belles génisses qu'il quittait, il a pris docilement le chemin du bercail. Pas de chance, l'ami! À voir comme sa vie amoureuse évoluait, c'est Roméo qu'il aurait fallu l'appeler.

Tyler avait rejoint Laura et marchait de l'autre côté du taureau, quand elle s'est soudain souvenue de moi.

— Eh! reste pas planté là comme un piquet, Man, qu'elle a crié. Ramène la camionnette à la maison. Ma crème glacée est en train de fondre.

J'ai conduit le long du petit chemin de campagne et ça m'a surpris de voir comme c'était joli. Il y avait une grosse vieille maison, d'un seul étage, nichée au creux d'un grand terrain gazonné, une écurie fraîchement repeinte qui paraissait plus vieille que Laura et un tas de bâtiments pimpants. C'était pas le genre de ranch qui révèle la fortune; plutôt le genre qui révèle le gros travail.

J'ai parqué le véhicule à côté d'un vieux camion près de l'écurie, j'ai pris le sac d'épiceries et je me suis dirigé vers la maison.

J'y arrivais quand j'ai entendu des bruits de sabots derrière moi. En tout cas, j'ai pensé que c'en était. Ça m'a paru comme le trot d'un poney Shetland. Excepté que ce n'en était pas un. Ça s'est mis à aboyer et j'ai vu le plus gros berger allemand de toute l'Alberta fondre sur moi en dévoilant des dents qui auraient rendu un requin jaloux.

Je n'aime pas les bergers allemands. Le dernier que j'ai connu de près gardait le poste de police, en ville. Il y a deux ans, à l'Halloween, Keith m'avait défié de lancer des œufs sur l'auto patrouille. Malheureusement, le chien avait pris ça pour une insulte personnelle et, avant que j'aie pu détaler, il m'avait arraché une bonne bouchée de mon anatomie, très haut sur l'arrière de ma cuisse gauche. Très, très haut. Ça m'a toujours agacé d'avoir une cicatrice de neuf points de suture que je ne peux même pas montrer. Pas assez, tout de même, pour souhaiter m'en offrir une meilleure. J'ai couru vers la maison. Le chien a accéléré son élan.

J'ai grimpé les marches deux à deux et je me suis jeté contre la porte, tournant le bouton du même geste. Il n'a pas tourné. La porte était sous clef.

J'étais là, prostré contre la porte, tenant toujours les épiceries de Laura, attendant que le chien enfonce ses crocs dans ma peau. En lieu de quoi, il s'est assis sur la première marche, a penché la tête de côté et m'a examiné attentivement, l'air intrigué. Se demandant, sans doute, quelles étaient les meilleures pièces de viande chez les humains.

C'est Tyler qui s'est pointé le premier. J'entendais Laura taper sur la clôture avec un marteau, de l'autre côté de l'écurie, pendant que mon frère venait vers la maison. Il s'est arrêté, la tête penchée de côté, comme celle du chien, me regardant, estomaqué. Et il m'a demandé, curieux:

— Man, qu'est-ce que tu fabriques?

À l'école, on a étudié le mot «fratricide», en vocabulaire, à un moment donné. Ça veut dire tuer son frère, et, juste là, j'aurais trouvé à l'employer. Les dents serrées, j'ai sifflé:

— J'essaie de pas être dévoré, et tu poses des questions? Rappelle ce chien-loup vers toi, hein.

— Man, a dit Tyler, sans broncher. T'as qu'à lui donner son os.

— Quel os?

— Celui qui est dans le sac d'épiceries, niaiseux. Chaque fois que Laura fait ses courses, le boucher ajoute un os pour Tempête. Aussitôt qu'elle voit quelqu'un avec un sac d'épiceries, la chienne rapplique pour avoir son os. C'est un jeu pour elle.

— Tout un jeu! que j'ai grommelé, en fouillant dans le sac, jusqu'à ce que j'y déniche quelque chose de la grosseur d'un tibia de mammouth. (Apparemment, le boucher connaissait ce chien.)

— Tiens, Tempête, que j'ai dit faiblement, m'attendant presque à ce que ma main droite serve de hors-d'œuvre.

Les yeux de Tempête se sont allumés comme des ampoules de mille watts et sa gueule s'est ouverte toute grande pour saisir l'os. Aussi délicatement que grand-maman aurait levé sa tasse de thé, Tempête a pris son présent et s'en est allée en trottinant, la queue levée comme un drapeau de la victoire.

Tyler m'a regardé avec ce sourire sans malice qu'il a toujours.

— Tu vois, Man, tu as vraiment le tour avec les chiens.

Laura m'a tenu occupé le reste de l'après-midi. Tyler couchait dans la chambre d'amis de Laura, quand il restait ici, mais elle m'a envoyé chercher un autre lit au sous-sol. Le temps qu'on a pris pour le monter et pour réarranger les meubles afin de lui faire place, c'était l'heure du souper.

J'avais jamais pensé que Laura puisse être bonne maîtresse de maison. J'ai été vraiment surpris quand elle a déposé devant nous une grande platée de poulet rôti. Très bon, ce poulet. Mais personne n'avait d'appétit. Je regardais Tyler. Pour un petit gars maigrichon, il avait, d'habitude, un appétit de géant. Pas ce soir-là. Il restait juste assis là, à fixer son assiette.

Je me suis dit que c'était le premier moment de la journée où le cirque s'était arrêté assez longtemps pour qu'il pense à grand-maman, et qu'il se convainque qu'elle était vraiment morte.

Je me suis appliqué à manger. La nourriture a disparu de mon assiette sans que je la goûte plus que du carton. Moi aussi, je pensais trop. Sans regarder du côté de Laura, je savais qu'elle non plus ne mangeait pas beaucoup. Elle nous observait. Et attendait. Quoi? Que nous nous écroulions et qu'elle puisse jouer à la mère? «Tu peux bien attendre, Laura, que j'ai pensé, furibond. Le gars ici présent ne s'écroule jamais.»

Tyler s'est levé et a dit posément:

— J'ai des devoirs à faire. Vous voulez bien m'excuser?

Laura l'a regardé longuement. Je ne lui avais jamais vu un visage aussi doux.

— Bien sûr, Tyler, si c'est ça que tu veux, qu'elle a dit, gentiment.

Tyler a ramassé sa vaisselle, raclé les restes dans le plat du chien et s'est dirigé vers notre chambre. Laura et moi l'avons regardé aller. Puis, Laura m'a consacré son attention. Elle avait cet air pensif qui disait qu'elle poserait des questions poids lourd. Je n'avais pas l'intention d'y répondre. Je me suis levé et j'ai suivi Tyler. Sans m'excuser.

Je ne m'attendais pas à le trouver en train de faire ses devoirs. Il ne les faisait pas, non plus. Il était debout près de la fenêtre et regardait dehors. Je ne voyais pas sa figure, mais j'ai pensé qu'il pleurait et je me suis glissé derrière lui. J'ai dit, en hésitant:

— Tyler? Ça va?

La voix basse, il a dit: Oui.

Il s'est tourné et j'ai vu qu'il ne pleurait pas. Pas tout à fait. On est restés là, tous les deux, à se regarder. J'aurais dû lui dire quelque chose, mais je n'ai jamais été bon là-dedans. Finalement, c'est lui qui a rompu le silence.

— Pourquoi, Man? Pourquoi il fallait que grand-maman meure?

J'ai secoué la tête.

— Sais pas, Tyler. Pourquoi il faut que n'importe qui meure? Pourquoi maman est morte? Grand-maman était bien vieille, tu sais.

— Pas tant que ça. (Il était presque fâché.) Elle avait seulement soixante-douze ans. Y a beaucoup de personnes qui vivent plus vieilles que ça. Moi, je veux vivre très vieux et avoir des petits-enfants et des arrière-petits-enfants et tout et tout.

Il était sérieux comme un pape, mais j'ai eu tout à coup la vision d'un Tyler à la longue barbe blanche tenant sur ses genoux plein de bébés et leur racontant le bon vieux temps, et j'ai pas pu m'empêcher de sourire.

— En plein ça, pépère, que j'ai dit, et, bien malgré lui, Tyler a ri.

Ça va aller, que j'ai pensé. Puis, je me suis rappelé ce qu'il avait dit, et j'ai riposté:

— Pas moi. J'haïrais ça être vieux. Je veux vivre à plein, aimer fort, mourir jeune et laisser de beaux souvenirs.

Je blaguais — je crois bien — mais Tyler a pris ça au sérieux.

— Parle pas comme ça, Man, qu'il a dit d'une voix étrange, et, à voir son visage, on aurait cru que je l'avais frappé.

— Comme quoi? (Je ne comprenais pas.)

— Parle pas de mourir et d'affaires de même.

— Voyons donc, Tyler, décompresse. Je parlais pour parler, c'est tout.

Son expression n'a pas changé. Il a juste secoué la tête et dit:

— Des fois, on dirait que tu parles sérieusement.

Avant que j'aie encaissé ça, on a frappé et la porte s'est ouverte. J'aurais jamais cru que je serais si content de voir Laura. Elle nous a examinés tous les deux et j'ai vu qu'elle sentait la tension monter entre nous, mais qu'elle n'en comprenait pas la raison. J'ai pensé: «Bonne chance, Laura. Si vous y arrivez, faites-le moi savoir.»

Je pense qu'elle a baissé les bras.

— Viens, Tyler, qu'elle a dit enfin. Il faut que j'apporte un cube de sel au secteur ouest, en auto. J'ai besoin de quelqu'un pour m'ouvrir les barrières.

Tyler a sauté sur ses pieds.

— Certain, Laura, qu'il a dit avec empressement, et j'ai compris qu'elle n'avait pas autant besoin d'un ouvreur de barrière que Tyler, de quelque chose pour l'occuper un bout de temps.

J'ai pensé: Bien joué, Laura.

En gagnant la porte, elle s'est tournée vers moi:

— Tu viens, Man?

— Non.

Elle n'a pas insisté. Ils ont été absents très longtemps. Il commençait à faire noir quand j'ai entendu la camionnette s'arrêter dans la cour. Ils avaient eu tout leur temps pour parler. Je me suis demandé ce que Laura avait dit à Tyler. Toutes les bonnes paroles qu'il avait besoin d'entendre? Toutes ces choses que je n'avais pas su dire. Je l'espérais, parce que je n'avais toujours pas les réponses. Juste des tas de questions. J'ai réalisé tout à coup que je ne voulais plus parler du tout. Je me suis déshabillé. Je me suis glissé dans le lit, et j'ai tiré les couvertures sur moi. Quand la porte s'est ouverte, je faisais le mort.

Même les yeux fermés, je sentais que Tyler me regardait. Il s'est enfin détourné. Je l'ai entendu monter dans son lit. Quelques minutes plus tard, il dormait, et moi, bien éveillé, j'écoutais les coyotes hurler au loin.

À onze heures, j'ai entendu Laura mettre les chats dehors et se préparer à se coucher. La maison est devenue silencieuse. Tout était calme, excepté moi. J'étais tellement tendu que je ne pouvais plus rester au lit.

Un peu avant minuit, il s'est mis à pleuvoir. Je me suis levé et je suis allé à la fenêtre. J'y suis resté longtemps à fixer le noir. La pluie a cessé. J'ai regardé l'heure à ma montre qui luisait dans l'obscurité. Une heure trente-cinq. Dehors, la lune brillait sur le capot mouillé de la camionnette de Laura.

Tyler dormait comme un bébé. Qu'est-ce que Laura avait bien pu lui dire? Je me suis rappelé qu'à l'hôpital elle l'avait entouré de ses bras. Peu importe ce que moi je ressentais pour Laura, pour Tyler, elle était la personne la plus pareille à la mère qu'il avait à peine connue par ma faute. Il avait besoin de Laura. Peut-être qu'il ne le savait pas, mais il avait bien plus besoin d'elle que de moi, à ce moment de sa vie. J'étais en train de m'en convaincre.

Je me suis habillé sans faire de bruit. Mon havresac était dans un coin, pas défait. Je l'ai pris. J'ai regardé Tyler. Je ne pouvais pas partir sans lui dire bonjour. Mais si je l'éveillais, il ne me laisserait pas partir. C'était mieux ainsi.

— Bonne chance, Tyler, que j'ai soufflé, la gorge serrée.

J'ai mis le pied dans le corridor. La maison de Laura était parfaite pour une évasion: pas de craquements, pas de grincements. Je suis sorti et je me suis dirigé vers la cour. Quelques gouttes de pluie tombaient encore: c'est pour ça que mes joues étaient mouillées.

Je suis entré dans la camionnette et j'ai tiré la porte sans bruit. Les clefs se balançaient dans l'allumage. «Vous êtes une bonne poire, Laura», que j'ai pensé, le sourire amer. Je riais jaune. J'avais fait bien des coups pendables, déjà, mais je n'avais jamais volé d'auto.

Je ne vous la vole pas, votre camionnette, Laura, je vous l'emprunte, c'est tout. Et c'était vrai. Dès que j'aurais gagné la ville, je la parquerais et je posterais les clefs. Je ne suis pas un pourri, quoi! Et puis, on me retrouverait facilement, dans la région, avec une auto volée.

J'ai fait le geste de tourner la clef, puis j'ai hésité. Le chemin passait juste devant la maison. Si je roulais là, Laura m'entendrait. Je prendrais par derrière, à travers la prairie. Il y avait une barrière par là, celle où on avait trouvé J.R. Je pourrais prendre la route à cet endroit.

J'ai gagné le pré sombre sans allumer les phares. Le clair de lune n'était pas aussi éclatant que je l'aurais souhaité, et j'y voyais très mal.

Il y a eu soudain un gros choc. J'ai appliqué les freins en catastrophe. «Tu t'es surpassé, Man, cette fois!» T'as sûrement écrasé une vache. Je suis sorti, dans mes petits souliers. Pas de cadavre de génisse. Soupir de soulagement. Et là, j'ai aperçu la victime: un bloc tout neuf de sel pour les vaches, à moitié enfoui dans le sol friable. Je l'ai déterré et enlevé du chemin.

Je regagnais mon siège quand, derrière moi, une lumière extérieure s'est allumée. Magnifique! J'ai claqué la portière et j'y ai mis le paquet. Le puissant moteur a rugi et la camionnette a bondi comme folle sur les mottes inégales. Je voyais déjà la barrière. Encore une centaine de verges à franchir. Sans prévenir, la camionnette a ralenti. J'ai pesé sur l'accélérateur. Le moteur a protesté plus fort, mais on n'avançait presque plus. Quelque chose nous retenait. J'ai ouvert la fenêtre pour voir ce que c'était et j'ai reçu une grosse motte de boue dans l'œil. C'est là que j'ai compris ce qui m'arrivait. Les roues tournaient mais moi je n'allais nulle part. J'étais embourbé. Jusqu'aux chapeaux de roues. Foutu. J'ai fait marche arrière. Les pneus ont crié, la boue a volé, mais on n'a pas bougé. J'ai abattu le poing sur le tableau de bord en sacrant et j'ai repris la marche avant. Avant, arrière, avant, arrière.

Une lumière m'a ébloui, m'aveuglant presque. Fini, le jeu. J'ai arrêté le moteur. La lumière s'est dirigée ailleurs, et j'ai retrouvé la vue. C'était Laura. Évidemment. Coiffée d'un chapeau de cow-boy, vêtue d'un long ciré jaune, ses jambes de pyjama enfilées dans des bottes de pluie masculines. Elle était plantée là, sa lampe de poche au poing, secouant la tête en examinant la camionnette enlisée.

— Pas brillant de ta part, Man, qu'elle a dit, très calme. Ce véhicule est un quatre par quatre, pas un char d'assaut. Il y a des terrains qu'il ne peut pas franchir. Cette fondrière, en est un.

— Alors, qu'est-ce que vous attendez? Appelez la police, que j'ai dit, renfrogné, les yeux baissés sur le volant.

— La police? a rugi Laura. Pourquoi j'aurais besoin de la police en plein cœur de la nuit?

Je l'ai regardée dans les yeux et j'ai dit, épuisé.

— Je viens de voler votre camionnette. D'habitude, les gens trouvent que c'est une raison suffisante pour appeler la police.

Laura a laissé fuser un rire moqueur.

— Tu veux dire que tu as *essayé* de voler ma camionnette. Déniaise, si tu veux t'en tirer dans la vie. Les flics n'ont rien à voir à ça. Ce n'est pas *leur* véhicule que tu as tenté de voler, mais le mien. Et c'est à moi que tu dois en répondre. Alors, sors de là et retourne à la maison avant que je prenne mon coup de mort.

Elle a regardé la pente menant au ranch et sifflé entre ses dents:

— Bon, tu as réussi à mêler Tyler à ce nouveau gâchis.

Eh oui, Tyler s'avançait en trébuchant, l'air encore tout endormi, vers l'endroit où nous étions, son blouson enfilé par-dessus son pyjama. Il a évalué d'un œil exercé l'étendue du désastre, mais, pour une fois, il n'a pas posé de question. Au regard qu'il m'a jeté, j'ai su qu'il n'avait que trop bien compris ce qui s'était passé.

Nous avons clopiné en silence vers la maison. Laura a rangé son chapeau et son ciré et se dirigeait vers sa chambre quand elle s'est arrêtée, me regardant, les yeux durs.

— Les clefs sont dans le gros camion de sept tonnes, aussi. Au cas où tu voudrais t'essayer encore, cette nuit...

J'ai rougi et croisé son regard avec réticence.

— Non, que j'ai dit, d'un ton qui défiait bien plus qu'il ne s'excusait.

— Bon, alors, peut-être qu'on peut aller dormir.

Elle est entrée dans sa chambre et a claqué la porte. Il n'y avait rien d'autre à faire que d'aller au lit. Tyler et moi avons regagné notre chambre en silence. Sans le regarder, je me suis laissé choir dans le lit après m'être déshabillé et j'ai éteint la lumière, espérant qu'il comprendrait que je n'avais pas le goût de parler.

Deux minutes plus tard, sa voix a coupé le silence.

— Man?

— Quoi?

— Tu vas encore essayer de partir sans moi?

Même dans le noir, je sentais ses yeux gris sévères me transpercer. Il s'y entendait, mon frère, à rendre un gars coupable.

— Écoute, Tyler, que j'ai dit, quand je partirai, je ne t'emmènerai pas avec moi: il n'en est pas question.

— Mais...

J'ai coupé:

— Là où j'irai, il y aura de la casse. Je ne veux pas que tu sois là à me suivre partout, tout le temps.

Je fessais dur, mes mots visaient à le blesser et je me détestais de les employer, mais c'était la seule façon de l'atteindre.

Il est resté coi pendant un long moment, et j'en ai conclu qu'il rendait les armes. Mais non.

— Si tu pars sans moi, je te suivrai.

Le ton de sa voix m'a forcé à le croire. C'était pas des boniments. Et ça anéantissait tous mes projets.

J'avais tout prévu, sauf ça. Où que j'aille, je m'en tirerais. Un costaud comme moi passerait pour dix-sept ou dix-huit ans. Je trouverais un boulot. Et si je n'en trouvais pas, je survivrais quand même. Sept années passées à Crossing n'avaient pas complètement tué le gamin des rues que j'avais été...

Mais Tyler? Douze ans, le petit gars, trop beau pour que ça lui serve, et si innocent qu'il aurait fait confiance au diable lui-même. Juste de l'imaginer errant seul dans les grandes avenues me donnait le frisson. Ce n'était pas sa place. Sa place, c'était ici. Et moi, j'étais pris au piège. La vie, quelle farce! Le monde entier était rempli d'individus qui souhaitaient qu'on ait besoin d'eux. Moi, tout ce que je voulais, c'était qu'on me laisse seul. Et qu'est-ce que j'avais? Un petit frère qui me prenait pour le *Lone Ranger* et qui rêvait d'être mon *Tonto*.

J'étais trop fatigué pour continuer de lutter.

— Ça va, Tyler. Tu gagnes. Je vais rester avec toi aussi longtemps que tu auras besoin de moi.

J'ai tendu le bras en travers de l'espace qui séparait nos lits et j'ai pressé son épaule maigre.

— Je savais que je pouvais compter sur toi, qu'il a murmuré, tout doux.

Cinq minutes plus tard, il dormait.

9

Le lendemain, c'était samedi. On a passé l'avant-midi à extirper la camionnette de la boue. Quand j'ai vu la fondrière en plein jour, j'ai eu peine à en croire mes yeux. Ça ressemblait à une mare où des dinosaures se seraient vautrés. Seul un imbécile de mon genre aurait voulu rouler dans cette merde.

Laura a grimpé sur le tracteur. Elle a attaché un long câble au pare-choc avant et au crochet de traction.

J'ai proposé, aimable:

— Voulez-vous que je conduise?

— Je préfère pas. Tu t'es déjà essayé et vois où ça nous a menés. Tyler conduira. Tu pousseras.

— Je... quoi? que j'ai crié, en zieutant le bourbier.

— Tu m'as entendu, gai luron? Tu pousses. Rapproche-toi du véhicule. Et que ça saute.

Elle criait en appuyant sur l'accélérateur.

La boue m'arrivait au-dessus des genoux. Je la sentais s'infiltrer toute froide dans mes souliers et, à chaque pas que je tentais, ça faisait un bruit de succion, comme quand on pompe la toilette. J'étais si furieux que je ne venais même plus à bout de sacrer. J'ai appuyé l'épaule à la porte arrière et j'ai poussé. Laura a tiré. Tyler a fait tourner les roues, en lançant derrière un rideau de boue liquide dont la plus grande partie est retombée sur moi. Avant que j'aie pu réagir, les pneus ont trouvé prise sur du solide et la camionnette a bondi en avant comme un cheval de course.

Je n'avais pas dégagé mon pied du bourbier. L'élan de ma poussée m'a précipité en avant. J'ai atterri la face dans la boue.

Laura a arrêté le tracteur et a marché vers moi pendant que je me relevais, dégoulinant, de peine et de misère. Elle a hoché la tête et déclaré, sans broncher:

— Pas trop propre, ce métier de voleur de camionnette, n'est-ce pas, Man? Rentre te débarbouiller. Viens, Tyler, allons voir comment se porte le veau de Dolly Parton, puisqu'on est dans les parages.

J'ai traînassé jusqu'à la maison. J'ai enlevé mes godasses crasseuses sur le perron arrière et je suis allé à la salle de bains me laver. Quelques minutes plus tard, je suis ressorti, habillé propre et de bien meilleure humeur. J'étais presque prêt à pardonner à Laura, quand elle s'est amenée vers moi, à la porte de la cuisine.

— Tiens, qu'elle a dit en me fichant une vadrouille dans la main. Tu as un boulot à terminer.

Mes yeux ont suivi les siens le long de la piste boueuse que mes chaussettes avaient tracée jusqu'à la salle de bains. Je l'ai regardée.

— Je ne sais pas faire le ménage.

Grand-maman faisait le nôtre sans nous demander notre aide. Du travail de femme, tout ça. Un instinct sûr m'a retenu de m'en ouvrir à Laura, qui, d'ailleurs, me tendait déjà le seau.

— Ça prend un dos solide et une cervelle d'oiseau pour faire ça. Tu y excelleras. Un énergumène qui peut piloter la grosse moto que je t'ai vu conduire ne devrait pas avoir trop de difficulté à faire fonctionner une machine à laver. Tu y mettras tes vêtements, quand tu auras fini de nettoyer le plancher. Viens, Tyler, laissons-lui la voie libre.

Sans plus rien ajouter, Laura est sortie. Tyler l'a suivie, essayant de cacher un sourire devant son grand-frère-la-terreur en pleine déconfiture.

Ça m'a pris le reste de l'avant-midi pour nettoyer ce plancher-là. «La prochaine fois, Laura, appelez la police. Si vous ne le faites pas, c'est moi qui le ferai. La prison en comparaison, c'est du bonbon.»

J'étais tellement exaspéré, quand j'en ai eu fini, que j'ai presque oublié de dîner. Presque: toute cette besogne m'avait ouvert l'appétit. J'ai donc mangé, sans dire un mot, en me promettant de disparaître pour l'après-midi, dès que j'aurais le ventre plein.

Malheureusement, Laura avait formé d'autres projets. Quand elle a eu fini d'essuyer la table, elle a lancé la guenille dans l'évier et m'a regardé, l'air sévère.

— Eh bien, Man, qu'elle a dit, si tu dois te rendre utile dans la place, tu vas avoir besoin d'un cheval.

«Ça fonctionne dans les deux sens, Laura, que j'ai pensé, en lui rendant son regard. J'ai pas l'intention d'être utile dans la place et j'ai vraiment pas besoin d'un cheval...»

Cinq minutes plus tard, j'étais debout à côté de l'écurie, à regarder Laura en faire sortir un gros cheval à l'air endormi.

— C'est Chef, qu'elle a dit. Un vieux de la vieille, qui connaît toutes les ficelles. Il va t'enseigner tout ce que tu dois savoir sur les chevaux.

Tyler nous avait suivis. Il a glissé son grain de sel.

— Oui, Man, j'ai appris à monter avec lui. Il est parfait pour les débutants.

Je l'ai fusillé du regard. Tout à fait ce qu'il me fallait: un cheval qui n'était plus assez vif pour mon petit frère.

— Tiens, a dit Laura, en me tendant le licou. Prends-le.

J'ai secoué la tête.

— Je n'aime pas les chevaux.

Juste à ce moment là, Chef a décidé de secouer la tête, lui aussi, et de souffler dans ses naseaux. Il a henni tout fort, et une averse de morve fraîche m'est tombée dessus. Laura a ri.

— Tu vois, Man, il ne t'aime pas, lui non plus. Vous ferez une belle paire.

Elle a regardé l'heure à sa montre.

— Fais plus ample connaissance avec lui. Tyler t'apprendra. Moi, j'ai autre chose à faire.

Elle s'éloignait déjà, mais elle s'est arrêtée pour me lancer:

— Oh! ta selle est la première sur le râtelier.

Ma selle? Je ne faisais que passer. Qu'est-ce que j'avais besoin d'une selle?

Avant que j'aie vu clair en moi-même, il y a eu un bruit de bois fendu, derrière l'écurie, suivi d'un hennissement retentissant qui trahissait le défi. Puis, deux ou trois autres fracas du tonnerre, et le bruit décroissant des sabots d'un cheval au galop.

Laura s'est arrêtée net, a grogné des mots étonnants sur les lèvres d'une prof, et est sortie en courant par la porte arrière. Tyler était sur ses talons et j'ai abandonné Chef pour les suivre tous les deux.

En franchissant la porte, j'ai entrevu un éclair d'argent bleu qui disparaissait dans le boisé au bout de la prairie. On aurait dit qu'une tornade avait passé. Trois barreaux de la clôture du corral avaient été démolis et celui du haut tenait par miracle.

— Qu'est-ce qui s'est passé? ai-je demandé.

Laura restait là, les mains aux hanches, la tête basse. Et elle a répondu d'un ton qui trahissait à la fois l'admiration et la frustration:

— Smoke est passé. C'est la deuxième fois qu'il prend la clef des champs, ce printemps.

Elle a flanqué un coup de sa botte à une claie brisée.

— Ce cheval peut démolir un enclos en moins de deux quand le goût lui en prend.

Je ne savais pas grand-chose des chevaux de Laura, mais j'avais entendu parler de Smoke à peu près mille fois par Tyler. Son nom légal était Doc's Smokin' Joe et c'était un étalon de trois ans, un rouan bleu, ce qui est plutôt rare, paraît-il. En tout cas, à entendre Tyler, Smoke est le cheval le plus formidable qui ait jamais existé. Laura se proposait, si elle venait à bout de le dresser, d'en faire le pivot d'une lignée de rouans bleus. Tyler prétend que Smoke a du sauvage en lui.

— On va le chercher? qu'il a proposé, empressé.

Laura a secoué la tête.

— Non, pas maintenant. Le travail commande, pour l'instant. Smoke s'en tirera très bien avec les juments et les poulains. Ils vont tous revenir, un de ces jours. On le reprendra, alors. Il faut absolument réparer la clôture avant de le remettre dans l'enclos.

Elle s'est dirigée vers la remise du tracteur.

— Si ce cheval lui donne tant de mal, pourquoi est-ce qu'elle l'aime tant? ai-je demandé à Tyler, pendant qu'on revenait tous les deux à l'écurie.

Il m'a jeté un regard pensif.

— C'est probablement pour ça, qu'il a dit.

J'essayais de comprendre sa réponse quand il a ajouté:

— Je vais aller à cheval voir comment les bêtes se comportent. Viens-tu? On verra peut-être Smoke, en route.

J'ai hésité. Ça ne me tentait pas de monter Chef, mais ça valait sans doute mieux que de rester sur place. Si j'avais l'air oisif, Laura me trouverait du travail. J'ai haussé les épaules.

— Oui, bon, ça va, montre-moi comment mettre la selle sur ce chameau poussé en graine.

— Comment donc, Man! qu'il a dit en riant.

Du haut de son cheval, Tyler était intarissable. À me regarder aller, il pensait sans doute que je me faisais à l'idée de vivre chez Laura. Le ciel lui tomberait fatalement sur la tête, mais je laissais porter. Il faisait beau. Je jouissais presque de la promenade — sauf que monter Chef c'était presque aussi épouvantable que d'être accidentellement réduit en purée dans un malaxeur. Quand il s'est mis à trotter, l'aiguille est montée tout en haut de mon échelle Richter.

Tyler a mis pied à terre. Il a laissé tomber les guides et a ouvert la barrière. Chance est restée là à l'attendre. Nous avons poursuivi la route.

— Chef est vraiment un bon cheval, qu'il a dit. Il a seulement une mauvaise habitude, dont il faut qu'on se méfie.

En plus d'éternuer dans la face des gens? Tyler continuait ses explications.

— Il ne se met pas à l'arrêt, si on laisse les rênes longues.

Là, j'étais censé m'informer de ce que ça voulait dire, mais j'en avais jusque-là d'écouter mon petit frère m'expliquer tout un tas de choses. J'ai juste haussé les épaules.

— Je savais ça.

Tyler voulait continuer sa promenade, mais comme on était maintenant dans le pré des bovins, on ne verrait pas Smoke et j'en avais assez de monter cette machine à brasser. J'ai pris le chemin de l'écurie.

À mi-course, il a fallu ouvrir la barrière encore une fois. Je suis descendu, j'ai mené Chef de l'autre côté et j'ai laissé pendre les rênes pour refermer. Pendant que je marchais vers lui pour remonter, il a soudain levé les yeux, redressé la tête si haut que les rênes ne touchaient plus terre et est parti au galop vers la maison. Je suis resté planté là, à n'en pas croire mes yeux et à le baptiser intérieurement de tous les noms.

J'ai regagné la ferme à pied. J'y arrivais presque quand Tyler m'a rejoint.

— Qu'est-ce que tu as fait de ton cheval? a-t-il demandé, comme s'il me soupçonnait de l'avoir mangé pour mon souper.

Je lui ai conté, en détail, les misères que cette catastrophe à quatre pattes m'avait fait endurer.

Tyler m'a regardé comme si j'étais borné.

— Je t'avais dit, à propos des rênes.

— Je n'ai pas lâché les rênes. Je les ai juste laissé pendre, comme tu l'as fait, à la barrière.

— Man, a dit Tyler, c'est ça qu'on appelle laisser les rênes longues.

Juste à ce moment-là, Laura est sortie de la remise du tracteur et m'a vu revenir à pied. J'ai senti que tout l'engrenage se mettait en branle dans sa tête et qu'elle avait compris ce qui s'était passé. Tout ce qu'elle a dit, c'est:

— Et, alors, Man? T'as réussi à embourber le cheval, aussi?

10

Le reste du week-end a passé vite. À cause des examens de fin d'année qui commençaient le lundi, on a étudié le dimanche entier; Tyler, parce qu'il est ce qu'il est, et peut-être aussi parce que ça l'empêchait de penser à grand-maman; moi, parce que je n'avais pas le choix. J'ai essayé de convaincre Laura que je pourrais faire du pouce jusqu'à la ville et aller voir comment Keith se portait, mais elle m'a aussitôt rembarré. Quel besoin j'avais d'aller en ville? De revoir Keith? Après tout, elle avait pris des risques pour moi; peut-être même qu'elle avait compromis son avenir professionnel en essayant de convaincre le directeur que, vu les circonstances, ma conduite du vendredi ne justifiait pas qu'on me mette à la porte. Alors moi, hein? ce que j'avais de mieux à faire, c'était de me plonger dans mes manuels et de voir si, par un coup de chance inouï, je ne pourrais pas réussir un examen ou deux.

On avait soupé et j'étais allongé sur mon lit, à regarder sans le voir mon texte de sciences, quand Tyler est entré et s'est assis près de moi. Il n'a rien dit. Ça ne me tentait pas de parler, moi non plus, alors j'ai fait semblant de lire. Il a rompu le silence le premier.

— As-tu un peu d'argent, Man?

C'est bien la dernière question à laquelle je me serais attendu de lui. Il sait que l'argent ne me dure jamais longtemps. Je me suis assis et j'ai vidé mes poches.

— Certain, Tyler. Tout plein. Soixante-quinze cents et une allumette et demie.

Je me suis recouché et j'ai repris ma lecture, mais il avait éveillé ma curiosité.

— Combien il te faut?

— Vingt-cinq piastres.

Je me suis redressé.

— Vingt-cinq piastres! Eh! Ta vie sociale devient dispendieuse. Tu as découvert les femmes, ou quoi?

Je lui ai adressé un sourire moqueur et j'ai attendu qu'il explose. Tyler ne s'intéresse pas aux filles. Pas encore. Il ne s'est pas laissé démonter. Il a juste secoué la tête, puis il a dit posément.

— C'est pour grand-maman. Il faut qu'on ait des fleurs pour elle.

Mon sourire s'est éteint. Jusque-là, j'avais évité de penser aux funérailles. Ça ne me tentait pas d'y aller. Sans Tyler, certain que je ne me serais pas pointé là. Moi, les funérailles!... J'étais pas sûr d'être à la hauteur. Mais je ne pouvais pas le laisser y aller sans moi. Et puis, bon, il avait raison: il fallait des fleurs pour grand-maman. J'en avais eu pour maman. La garde les avait achetées pour moi. Elle s'était même offerte à m'accompagner au service. Ni le docteur qui me soignait ni les gens de l'Aide sociale ne voulaient que j'y assiste. Ils trouvaient que c'était pas une place pour un gamin de sept ans, encore sous le choc de l'incendie.

C'est la psychologue de l'hôpital qui les a convaincus. Puisque j'y tenais tant que ça, qu'elle a dit, il valait mieux me laisser faire. Je l'ai entendue leur expliquer que j'avais besoin de ça pour assumer mon chagrin ou quelque chose comme ça. Je ne savais même pas ce que ça voulait dire. Tout ce que je savais, c'est qu'ils allaient mettre ma mère dans la terre et que c'était par ma faute qu'elle était morte. Il fallait que je sois là pour lui dire adieu, pour lui dire combien je regrettais.

La voix de Tyler m'a brusquement ramené au présent.

— Je suis allé chez le fleuriste, mais les belles fleurs pour les funérailles coûtent quarante piastres.

J'ai regardé mon frangin avec un nouveau respect. Il a beau être plus jeune que moi, c'est lui qui s'attaque aux affaires d'adultes.

— J'en ai juste quinze, qu'il a dit.

— Et où tu as eu tout ça?

Il a baissé les yeux, l'air coupable. Avec n'importe qui d'autre, j'aurais pensé à de l'argent volé.

— J'ai — euh! — vendu mon Stetson à Chuck Munez, vendredi, à l'école. Chuck avait l'œil dessus depuis le premier jour que je l'ai porté.

À peine si j'en croyais mes oreilles. C'était comme l'entendre dire qu'il avait vendu sa main droite. Il avait décidé de s'essayer à monter les bouvillons au rodéo, l'année dernière, et j'imagine que le chapeau tient une place importante quand on joue au cow-boy. Grand-maman n'avait pas les moyens de lui en acheter un — elle trouvait que tout ça, c'était des folies — alors Laura le lui a procuré. Pour l'avoir aidée à montrer ses chevaux à la foire, qu'elle disait. Ce chapeau, c'était le trésor de Tyler. Je l'avais appris à mes dépens. Je m'étais assis dessus un jour, sans faire exprès et j'avais essuyé toute une dégelée.

Il me regardait, me défiant à demi, comme s'il s'attendait que je me fâche contre lui.

— En tout cas, qu'il a dit, c'est pas assez. Il va falloir que j'emprunte de Laura.

Je me suis levé, furieux.

— Non. Tu n'emprunteras rien à Laura. Ça ne la regarde pas. C'est notre problème, pas le sien.

— O.K. d'abord, Man. T'as une meilleure idée?

Ses yeux me fouillaient. Pendant une minute, je n'ai pas répondu. J'ai seulement arpenté la chambre et j'ai réfléchi. Il y avait sûrement une solution. Et, tout d'un coup, ça m'est revenu. De l'argent, j'en avais. Assez. Vingt-cinq dollars. L'argent que je devais à Keith pour le billet du concert. Je l'avais mis de côté depuis longtemps, là où je ne serais pas tenté de le dépenser. Je suis allé à la penderie et j'en ai tiré ma veste de cuir, celle que je porte seulement pour monter la moto de Keith. J'ai ouvert la poche à bouton pression et poussé un soupir de soulagement: l'argent était là, juste où je l'avais mis. Je suis revenu vers Tyler et j'ai lancé les billets sur le lit.

— Tiens!

Il les a dépliés avec soin et les a comptés. Sa figure s'est illuminée.

— Il y en a assez, qu'il a dit, doucement, mais son visage s'est soudain rembruni et il m'a demandé, l'air soupçonneux:

— Où tu as pris ça?

— T'inquiète pas, y a rien de croche là-dedans. J'épargne pour mes vieux jours.

Tyler a acheté les fleurs. Des roses rouges. Qui paraissaient vraiment bien sur le cercueil. Si quelqu'un le sait, c'est moi. Je suis resté assis dans le premier banc de l'église, à faire rien d'autre que regarder ces fleurs. C'est comme ça que j'ai enduré l'épreuve des funérailles. Gelé dur à l'intérieur, mais faisant ce qu'il fallait faire, comme un robot.

Oh, je voyais quand même ce qui se passait, autour. Je réalisais surtout que la plupart des gens dans l'église étaient vieux. Pas étonnant: les amis de grand-maman avaient à peu près son âge. Les seuls jeunes dans la place, c'était Tyler et moi. Les vieux nous zieutaient comme si on avait été à l'étalage. Je leur ai rendu leur regard, quand on est entrés dans l'église, mais je ne les voyais pas, vraiment.

Pour Tyler, ça fessait dur. Surtout au cimetière, quand ils ont mis grand-maman en terre. Il a pleuré toutes les larmes de son corps. Je comprenais ça. Moi aussi, c'est à cet instant-là que j'avais craqué, aux funérailles de maman.

Je n'ai pas pleuré à celles de grand-maman. J'en avais fini des larmes. Les vieilles dames m'ont regardé et ont chuchoté entre elles que le plus vieux des gars Jamieson n'avait pas de cœur. C'est ça, mesdames, que j'ai pensé. Vous y êtes tout à fait.

Tyler a eu l'air beaucoup mieux après les funérailles. Comme s'il avait laissé le pire derrière lui et qu'il en avait fini des larmes. Il lui restait une couple d'examens à passer et ça lui donnait quelque chose pour l'occuper. Entre ses études et son travail pour Laura, il n'avait plus beaucoup de temps pour s'ennuyer de grand-maman. Bizarre, c'est *moi* qui perdais les pédales.

Les examens se sont terminés à midi, le vendredi. Rendu au soir, j'en avais jusque-là du bon air de la campagne. Et s'il me fallait écouter plus longtemps Tyler et Laura parler d'accoutumer les poulains au licou, de rogner les sabots des chevaux et se féliciter de ce que la luzerne pousse bien, je deviendrais fou.

Mais ce n'était pas ça le pire. J'aurais pu survivre aux soirées. Ce qui me tuait, c'était les nuits. Je ne venais pas à bout de dormir. J'avais beau veiller tard à lire, à regarder la télé — croyez-le ou non, Laura ne m'envoyait pas au lit à neuf heures — je me couchais toujours si tendu que j'aurais pu exploser. Je restais allongé pendant des heures à essayer de voir clair en moi. À me demander ce qui m'arriverait le lendemain. Vivre chez Laura n'était pas un cadeau, mais c'était temporaire. Qu'est-ce qui arriverait, après?

Ce qui me démolissait, surtout, c'est que j'avais recommencé à rêver — à propos de maman. Ça ne m'était plus arrivé de longtemps, mais, depuis les funérailles de grand-maman, ça avait repris. Je réfléchissais trop, je crois bien. Maintenant, quand il m'arrivait de m'endormir, j'avais peur de me laisser aller. Il me fallait du changement, aller quelque part, faire des choses. Autrement, j'éclaterais.

C'est tout ça qui me trottait dans la tête quand le téléphone à sonné. J'ai hésité à répondre. C'était probablement un des amis fermiers de Laura, intéressé à parler du prix des engrais, mais je brûlais de savoir qui appelait. À la quatrième sonnerie, j'ai répondu. C'était Keith.

— Eh, Man! t'en as pris du temps. J'étais certain que c'était cette vieille peau de McConnell qui répondrait et je m'étais préparé à raccrocher sans demander mon reste.

Il s'est interrompu.

— Est-ce qu'elle est là à t'écouter?

— Non. Tyler et elle sont dehors à regarder l'herbe pousser ou ce que tu voudras.

— Ça lui ressemble, a dit Keith, sarcastique. Et puis, comment t'aimes ça vivre à la campagne, Man?

C'était évident, à son ton, qu'il savait à quel point je m'emmerdais. J'ai soupiré.

— C'est l'enfer. Le fin bout du bout de l'enfer.

— Pas vrai! Bon, alors, comment tu aimerais aller vraiment en Enfer?

— Quoi?

— Tu sais, voyons, l'Enfer. Il y a une grosse fête de fin d'année, là, ce soir.

Crossing n'est pas la capitale du monde du divertissement, mais les fêtes de l'Enfer, c'est une grosse affaire. Le vendredi soir, la moitié des jeunes du secondaire de Crossing se retrouvent dans cette carrière de sable — la moitié flyée. Ceux dont les parents ne s'occupent pas et ceux qui sont assez bons menteurs pour convaincre les leurs qu'ils sont ailleurs. Les parents sévères ne laissent pas leurs enfants s'approcher à moins d'un mille de cet endroit. Pour Laura, ce serait deux milles plutôt qu'un.

Keith lisait sans doute dans mes pensées.

— Alors, qu'il a dit, en me poussant au pied du mur, Laura te permettra-t-elle de venir?

— Ça m'étonnerait, mais ramasse-moi à dix heures au carrefour qui mène chez elle.

— Tu l'as dit, Man.

J'ai posé l'appareil et je me suis retourné. Tyler était là, appuyé au chambranle de la porte. Il avait tout entendu. Il a hoché la tête, réprobateur:

— Laura n'aimera pas ça.

— Laura n'en saura rien, si tu ne me vends pas.

Il m'a jeté un regard insulté.

— Je ne t'ai jamais vendu avec grand-maman, pas vrai?

J'ai dû l'admettre.

— Alors, voilà, que je lui ai dit, c'est un pacte.

Il était neuf heures quarante-cinq, on s'était retirés tôt. Je me suis agenouillé sur le lit de Tyler et j'ai ouvert la fenêtre toute grande, puis j'ai retiré la moustiquaire. En me glissant dehors, j'ai soufflé:

— À la revoyure, mon jeune.

— Sois sage, m'a prévenu Tyler.

J'ai ri et je me suis laissé tomber silencieusement sur le sol. Si j'obéissais à cette consigne, aussi bien passer la soirée dans un monastère.

11

Le party commençait tout juste quand on est arrivés, Keith et moi, sur Shadow. Il y avait des tas d'autos stationnées en un grand cercle, leurs radios branchées à plein volume sur AM106, si bien que le son du rock se répercutait sur les murs de la vieille carrière de sable et ébranlait presque le sol. Quelques jeunes échafaudaient un grand feu de joie pour qu'on y fasse rôtir des saucisses et, probablement, les souliers de course de quelques-uns, plus tard.

Ça s'annonçait comme les habituelles fêtes de l'Enfer: un peu de boisson, beaucoup de vantardises et d'échange de mensonges, quelques couples qui s'embrassent, une ou deux batailles et, après quelques bouteilles de bière, le vieux défi. Quelqu'un était-il capable de rouler jusqu'en haut de la paroi ouest, tellement à pic, de la grande carrière? À chaque party, il s'en trouvait d'assez paquetés pour s'y essayer avec des quatre par quatre. Ils tombaient habituellement en panne à mi-chemin du sommet et glissaient jusqu'en bas, mais, parfois, quelqu'un s'était pointé avec un véhicule assez puissant pour gagner la crête. Personne ne l'avait jamais franchie. L'angle devient trop prononcé et les véhicules font un tonneau. Une couple de camions ont été démolis au cours de ces essais. Il y a quelques années, un jeune s'est même tué, à cet endroit.

Très peu pour moi. Pourquoi j'irais risquer de dégringoler cette pente dans une boîte à sardines à moitié démolie?

Keith avait disparu du portrait depuis un bout de temps. Il essayait de regagner les faveurs de son ex-blonde. Moi, je me tenais avec un groupe de types plus vieux, armés d'une bonne provision de bière. Ils n'avaient qu'un sujet en bouche: grimper là-haut.

À la fin, le gros Dave Callahan s'est levé, a zigzagué à droite et à gauche et déclaré, la voix forte:

—Y a pas de camion à Crossing qui peut monter jusque-là, et y en a pas un seul parmi vous autres, gang de froussards, qui soit assez homme pour essayer.

J'étais juste assez pompette pour me sentir visé. Je me suis levé.

— Ouais? Y a peut-être pas de camion qui en est capable mais j'ai une moto qui le pourrait.

Ils se sont tous tournés pour me regarder. J'étais le plus jeune du groupe et, d'habitude, j'étais assez fin pour me la fermer.

— Jamieson, a ricané le gros Dave, tu pourrais même pas monter une Honda sur le trottoir sans tomber.

— C'est ce qu'on va voir!

Mes poings se sont refermés pour le frapper quand Joe Lafleur, un jeune Indien costaud bien tranquille, m'a attrapé le bras en me soufflant à voix basse:

— Fâche-toi pas. Montre-lui de quoi tu es capable. Va chercher la moto et envoye.

J'ai regardé autour de moi. Keith n'était pas là. C'est certain qu'il surgirait dès qu'il entendrait la moto démarrer, mais il serait trop tard. J'ai enfourché la selle, respiré à fond et tourné la clef. Le rugissement du moteur a quasiment noyé le *beat* des stéréos. Je l'ai laissé s'emballer et j'ai tracé un grand cercle loin de la pente de la carrière. Dans la lueur du feu, je voyais, par instants, que les jeunes se rassemblaient et qu'ils me montraient du doigt. J'ai même vu, à un moment donné, la silhouette facilement reconnaissable de Keith. Les bras au ciel, il courait vers moi. J'ai regardé ailleurs.

Keith n'existait plus. La masse hurlante des chahuteurs n'existait plus. Maintenant, il n'y avait plus que moi et la moto, que moi et la pente raide et rocailleuse de la sablière. Et je n'étais plus moi. J'étais une partie de la moto. Du métal. Indestructible. Comme Robocop. Une machine munie d'une âme humaine. J'ai accéléré. Les pneus ont touché le gravier au bas de la pente, l'envoyant voler derrière comme de la poussière. Puis, ils ont mordu, et cette moto-là a monté, en pétaradant, jusqu'à mi-côte, puis jusqu'aux trois quarts, sans même ralentir. La force d'impulsion s'est alors un peu relâchée, mais on roulait encore très vite. Le dernier assaut contre un mur quasiment perpendiculaire. Je perdais de la vitesse. Vas-y, Man! Sers-toi de ce que tu as appris quand tu t'es attaqué à la Butte Kagan.

La Butte Kagan! C'était la première fois, ce soir, que je me rappelais cet incident. Qu'est-ce que j'avais donc appris, à la Butte Kagan? Une seule chose: que ça fait mal en maudit quand on tombe.

J'ai attaqué le remblai avec l'énergie du désespoir. Je portais presque la moto, quand la roue avant s'est traînée par-dessus la crête. La roue arrière a tourné dans le vide puis a attrapé une pierre à demi enfouie dans le sol, s'y est creusé un trou et a lancé la moto en l'air sur le tertre herbeux du sommet. J'ai atterri en catastrophe. La moto et moi, on s'est retrouvés en tas sur le sol. *Au-dessus* de la crête de l'Enfer.

— Yahou! que j'ai crié, dans le vent.

Tout en bas, cinquante jeunes m'ont acclamé quand je leur ai adressé un salut de la main. Je me suis demandé si Keith était parmi eux.

Pauvre vieux Keith! Pris entre le désir de m'applaudir et celui de me tuer. Sa moto venait d'accomplir un exploit. Son copain — moi — était devenu un héros — pour le moment, du moins. J'ai enfourché de nouveau la moto et je suis redescendu, triomphant, par le long sentier sinueux qui coupe la pente. J'ai célébré dignement ma victoire, dans les heures qui ont suivi. À un point tel que j'en ai perdu la notion du temps. C'est seulement quand Keith et une couple d'autres gars m'ont finalement assis sur la moto que j'ai regardé, les yeux embrouillés, l'heure qu'il était à ma montre. Trois heures trente.

Keith m'a déposé au carrefour et la marche d'un demi-mille m'a remis un peu d'aplomb. Sans faire de bruit, je me suis glissé derrière la maison, me rappelant mon plan initial.

J'ai eu soudain l'impression d'être surveillé. J'ai regardé derrière. Oh! non. L'histoire se répétait. Tempête me traquait de nouveau. Elle se tenait là, debout, tête penchée sur le côté, me jetant l'un de ces regards — qu'est-ce-qu'ils-sont-bizarres-ces-humains! — que seul un chien peut se permettre. Je voyais bien qu'elle essayait de décider si mon cas en était un de cerveau ramolli ou d'entrée par effraction. Elle a aboyé bas, pour voir. J'ai chuchoté:

— Silence! C'est moi, Tempête. Va chasser les coyotes.

C'était une erreur. «Coyote», dans son vocabulaire, vient tout de suite après «manger». Ses oreilles se sont redressées, elle a eu un grondement de la gorge et elle a relevé la truffe pour vérifier s'il n'y aurait pas, dans l'air, une odeur de coyote. Puis, elle s'est mise à aboyer — à grands déferlements profonds et bruyants de berger allemand.

«Vas-y mollo, mon Manuel», que je me suis dit, en m'accroupissant entre un gros méchant rosier et le mur de la maison, m'attendant, à tout moment, que Laura en surgisse, armée d'un fusil.

J'ai tendu la main pour atteindre l'appui de la fenêtre et me propulser à l'intérieur. J'ai touché une moustiquaire. Comment cette moustiquaire était-elle revenue dans la fenêtre? Impossible pour moi, de là où j'étais, de la soulever. J'ai sifflé entre mes dents.

— Tyler!

Rien.

— Tyler!

Des pas prudents à l'intérieur.

— Man, c'est toi?

Je l'aurais tué.

— Non, c'est Jack l'Éventreur, et tu seras ma prochaine victime, si jamais je mets la main sur toi. Laisse-moi entrer.

Il n'a pas répondu, mais je l'ai entendu désengager la moustiquaire. Quand elle a bougé contre ma main, je me suis hissé par-dessus l'appui et je suis entré en grommelant.

— Pourquoi t'as remis la moustiquaire en place? Tu m'as presque fait pincer.

Tyler m'a jeté un regard innocent et a calmement expliqué.

— Les maringouins entraient.

J'ai secoué la tête. Des fois, Tyler me rappelle M. Spock de l'ancien *Star Trek*. Un Vulcain. Né pour être logique. Si les maringouins entrent, on met la moustiquaire, et au diable le reste.

— Et comment tu penses que je serais entré?

Tyler a regrimpé dans son lit, impassible:

— Les portes, Man, ça sert à quoi, tu penses?

Et, tous les deux, on a éclaté de rire.

— T'avais l'air plutôt fou, derrière ton rosier, là-bas.

J'ai saisi mon oreiller et je le lui ai lancé. En se penchant pour l'éviter, il a jeté la lampe à terre.

— Eh là! a grincé la voix fâchée de Laura, à l'autre bout du corridor. Du calme, la-dedans. Il est quatre heures du matin. Entre vous deux et le chien, je me demande qui pourrait bien fermer l'œil, par ici. Éteignez. Il sera bientôt temps de se lever.

Sa porte s'est refermée à la volée, et tout a été tranquille pour une minute.

— Couche-toi, Man, a dit Tyler, en écho à Laura. Il est quatre heures du matin. Tu as une mauvaise influence sur moi.

Il m'a tapé un clin d'œil, a remis la lampe d'aplomb et a fermé la lumière.

Je suis tombé dans mon lit, me rendant compte à quel point j'étais fatigué, mais j'avais réussi ma fugue. Pour une fois, j'avais déjoué Laura. Je suis tombé endormi très vite, un sourire sur la figure.

12

Je n'avais pas dormi cinq minutes — du moins à ce qu'il m'a semblé — que le tremblement de terre a commencé. Au début, j'étais tellement déphasé que j'ai pensé que c'était un séisme. Quoi d'autre aurait pu me brasser comme ça en plein milieu de la nuit? J'ai poussé un gémissement et essayé d'enfouir ma tête sous mon oreiller. Si je devais mourir, au moins, je mourrais dans le confort. Quelque chose a saisi l'oreiller et me l'a enlevé des mains. Même pour un séisme, c'était pousser trop loin. J'ai ouvert un œil. Erreur. Un rayon de soleil dans la fenêtre m'a ébloui et j'ai refermé cet œil aussi vite. Qu'est-ce qu'il lui prenait, au soleil de briller en pleine nuit?

Je me suis assis en chancelant et en me demandant:

— Quelle heure qu'il est, donc?

— Six heures quarante-cinq, a répondu la voix de Laura, si pleine d'entrain qu'on aurait cru la dame levée depuis des heures. Si tu veux déjeuner, tu as exactement cinq minutes pour t'habiller et passer à table.

Déjeuner? Le mot même me donnait des nausées.

En essayant de m'enfouir plus creux sous mes couvertures, j'ai marmonné:

— Pas faim.

— À ta guise, Man, mais la journée sera longue, avec cette clôture à refaire: tu auras l'estomac dans les talons avant d'avoir une autre chance de manger.

Je me suis assis lentement. Cette fois, j'ai ouvert les deux yeux et j'ai regardé Laura.

— Clôture? que j'ai dit, comme un idiot, chassant l'image qui s'était imposée à moi pendant un instant d'un monastère où les religieux vivent cloîtrés.

L'autre sorte de clôture n'avait, à mon idée, rien de mieux à offrir.

— Je ne connais rien aux clôtures, que j'ai dit.

Laura a souri et a dit, le ton dangereusement aimable:

— Ce soir, tu en sauras davantage.

— Oh non, je ne bâtirai pas de clôture.

La moutarde m'était montée au nez. J'étais assez éveillé pour m'apercevoir que ma tête était comme une citrouille de l'Halloween avec des trous déchiquetés et du feu à l'intérieur.

— Bon, a dit Laura, très calme. Et qu'est-ce que tu te proposes de faire, ce matin, alors?

— Dormir, que j'ai grommelé, en enfouissant ma tête dans mes mains. Je crois que j'ai la grippe.

Laura n'a rien dit pendant un moment, et quand je l'ai regardée, elle a posé sa main fraîche sur mon front. C'était bon. Peut-être que la vieille Laura avait son petit côté tendre. Peut-être...

— Tout ce que tu as, c'est ce que tu mérites, après tes folies d'hier. (La voix de Laura s'était durcie.) Si tu t'imagines que tu es assez homme pour t'envoyer en l'air une partie de la nuit, tu es mieux d'être assez homme pour te farcir ton travail quotidien, le lendemain.

Elle s'est pliée en deux pour ramasser les vêtements que j'avais semés sur mon chemin, la veille, avant de m'écrouler dans mon lit, les a roulés en boule et me les a lancés.

— Enfile ça et sois prêt à l'action dans cinq minutes ou je reviens en force.

Elle a marché vers la porte à grande enjambées puis s'est tournée et m'a jeté un dernier regard plein de mépris:

— Dorénavant, si tu ne supportes pas la chaleur, tiens-toi loin du poêle.

La porte s'est refermée à la volée derrière elle.

J'ai secoué ma tête douloureuse. Moi qui croyais avoir berné Laura!

J'étais encore à demi endormi, mais tout habillé quand je suis entré dans la cuisine d'un pas mal assuré, les yeux braqués de peine et de misère sur l'horloge au-dessus de l'évier. Ça m'avait pris quatre minutes et demie. Pourquoi je m'étais donné la peine de faire si vite? Fouille-moi. Peut-être que je ne me sentais pas capable, dret là, de relever le défi de Laura.

Je me suis écrasé sur la chaise à côté de celle de Tyler, qui achevait d'enfourner une grosse pile poisseuse de crêpes. Il a marmonné, la bouche pleine:

— Tellement bon, Man, t'en veux?

Il m'a tendu sa fourchette qui dégoulinait de sirop et des restes d'un œuf.

Le cœur m'a levé. J'ai mis ma main devant ma bouche et ravalé ma salive. Tyler est resté là, à m'observer avec un intérêt scientifique, attendant une réponse. Il a fini par comprendre.

— Pas vraiment, hein?

Ses traits n'ont pas bronché, mais j'ai eu l'impression qu'il riait en dedans. Un jour, fiston, tu me paieras ça. Avant que j'aie pu mettre ma pensée en paroles, Laura a flanqué une chope de café noir devant moi.

— Bois ça. Après tu prendras ta veste et les gants de travail que j'ai laissés pour toi près de la porte. Toi, Tyler, quand tu auras fini, viens m'aider à charger les outils dans le camion.

— D'accord, Laura.

Après avoir mis sa vaisselle sale dans la machine, il lui a emboîté le pas comme un toutou obéissant. Je les ai regardés aller. Puis, j'ai laissé tomber ma tête à côté de la chope. La table était tiède et accueillante.

Le pétard du klaxon m'est entré dans la tête comme une flèche à pointe d'acier. J'ai soupiré et je me suis à demi redressé. Allez-vous-en. Laissez-moi seul. Autre coup de klaxon. Deux coups. Un long, un court. Bon. J'ai compris. Je viens. J'arrive. J'ai avalé mon café trop vite et je me suis brûlé la langue. J'ai gagné la porte en arrachant ma veste de son crochet.

La benne du camion était pleine de poteaux de clôture, de rouleaux de fil barbelé et d'un tas d'outils sortis, sans doute, d'une chambre des horreurs. Laura et Tyler étaient assis dans la cabine, à m'attendre. Entre deux séances de klaxonnage, Laura tambourinait sur le volant avec impatience. J'ai ouvert la portière d'un coup sec et je me suis glissé sur le siège près de Tyler. Laura m'a jeté un regard rapide.

— As-tu tout ce qu'il te faut?

Tout? Quoi, tout? J'étais là. Ça suffisait. J'ai dit oui sans la regarder.

Elle a fait la moue, embrayé et roulé le long de la piste cahoteuse comme si c'était une autoroute à quatre voies. Ma tête...

On a roulé une couple de milles, à peu près, jusqu'à l'extrémité ouest du domaine de Laura, puis plus loin, dans le pâturage qu'elle loue pendant l'été. Elle a enfin immobilisé le camion à l'intersection de deux clôtures en barbelés et elle m'a ordonné:

— Allez, Man, descends.

J'ai regardé autour de moi. Les terres étaient basses et marécageuses. Çà et là, à travers les herbes hautes, je voyais briller l'éclat de l'eau, et, à travers les vitres sales du camion, j'apercevais des nuées de maringouins. J'ai regardé Laura, prêt à la rébellion.

— Qu'est-ce que je suis supposé faire?

Elle m'a jeté un regard impatient.

— Tu vas abattre le dernier demi-mille de clôture devant lequel nous venons de passer pour qu'on remplace tous les poteaux pourris par des neufs qu'on réunira avec des barbelés. Dépêche-toi. Je veux te montrer quoi faire et je n'ai pas toute la journée.

— Moi non plus, ai-je rétorqué, à mi-voix, en descendant du camion.

Sans me presser. Assez lentement pour agacer Laura un petit peu. Elle savait que je le faisais exprès, et je voulais qu'elle le sache. C'était une façon de la combattre qui ne me demandait pas trop d'énergie.

Le temps que j'ai mis à la retrouver, derrière, elle avait pris le marteau et les pinces-cisailles et elle s'attaquait déjà à la clôture. Le métal protestait pendant qu'elle arrachait le crampon en métal du poteau, et le fil s'affaissait, libre. Elle a lancé le crampon dans un vieux contenant de peinture et s'est dirigée vers un autre poteau. Je l'ai suivie à contrecœur.

— Voilà comment tu dois procéder. Tu enlèves tous les crampons. Un fil à la fois, autrement tu vas te retrouver au cœur d'un fouillis dont tu auras peine à te dépêtrer.

Elle a marché vers les poteaux qui suivaient, arrachant les crampons pendant que je restais planté là, à me faire dévorer par les maringouins et à essayer de garder les yeux ouverts. Elle est revenue au poteau d'angle, a saisi les pinces-cisailles et a détaché l'extrémité du fil de son poteau. Une grande longueur de fil libre est tombée au sol. Laura a posé les cisailles et le contenant de peinture.

— Voici comment il faut enrouler le fil.

Elle s'est tournée et m'a vu planté là à bayer aux corneilles et à gratter mes piqûres. Elle a rugi:

— Manuel! réveille-toi et amène-toi ici.

Je me suis approché d'un pas nonchalant, en me disant que je l'aurais à l'usure, la Laura.

Je me suis accroupi près d'elle et je l'ai regardée — mais le cœur n'y était pas — ramasser le bout du fil, l'enrouler en boucle comme la corde d'un lasso. Elle a ensuite introduit le bout du fil dans la boucle pour l'empêcher de se dénouer.

— C'est ici que ça se complique. Le fil barbelé ne reste pas enroulé comme une corde. Il est rigide, et si tu ne fais pas attention, tout ton rouleau peut se détendre d'un coup comme un ressort et tu devras recommencer à zéro. Tu dois donc tisser en quelque sorte chaque nouvelle boucle d'un côté puis de l'autre pour qu'elle s'agrippe aux barbelés de la boucle précédente... (Elle m'a jeté un regard acéré.) As-tu compris?

— Oui.

Mes yeux se sont fixés, vitreux, sur ses mains et leurs épais gants de travail et je me suis répété à quel point je serais heureux quand j'aurais quitté cet endroit.

— Ça vaut mieux, qu'elle a dit, parce que dans cinq minutes à peu près, tu te retrouveras tout seul, pendant que Tyler et moi irons un mille plus loin abattre d'autres poteaux.

Elle a retourné son attention au fil.

— Tu vois comment ça fonctionne? Tu saisis le fil ici et tu l'enroules.

Un maringouin gros comme un hélicoptère de l'armée s'est posé sur mon bras et, bien installé, s'est mis à siphonner mon sang comme un vampire. Je l'ai écrasé. Laura a poussé un soupir et m'a examiné en demandant, la voix impatiente:

— Où est ta veste?

— Dans le camion, j'imagine.

— Alors, va la chercher. Tu ne peux pas simultanément tuer les moustiques et t'appliquer à ton travail.

Je suis allé chercher ma veste. Tyler attendait Laura près du camion. Il s'est permis une taquinerie.

— À la vitesse où tu vas, on aura peut-être fini pour Noël.

Je lui ai jeté un regard glacial.

— Quand j'aurai besoin de ton opinion, je te la demanderai.

Il m'a retourné mon regard. J'ai enfilé lentement ma veste et je suis retourné à la clôture en me disant que mon petit frère changeait.

Laura m'a vu avec la veste.

— C'est mieux. À toi maintenant! a-t-elle dit, en me tendant le rouleau de barbelés. Voyons comment tu t'en tires.

J'ai refermé délicatement la main autour des pointes mais Laura m'a arrêté et a dit, le ton mordant.

— Non. On ne manipule pas les barbelés à mains nues. Les pointes déchirent la peau. C'est dangereux. Où sont les gants que je t'ai donnés?

Bonne question. La dernière fois que je les avais vus, ils traînaient sur le plancher près de la porte arrière. Je ne me souvenais pas de les avoir ramassés.

— Je les ai oubliés.

Laura a lancé le rouleau de fil à terre.

— Tu les as oubliés! C'est le comble. Jusqu'ici, ce matin, tu as eu une... une seule... responsabilité. T'habiller convenablement pour venir ici. Et tu as obtenu un gros zéro même pour ça. J'ai trop de chats à fouetter pour te chouchouter plus longtemps, et j'ai besoin du camion pour transporter les poteaux le long de la ligne. La première chose que tu vas faire, c'est de retourner à pied à la maison chercher tes gants. Au rythme où tu bouges, Tyler et moi aurons probablement fini la section de clôture avant que tu ne sois revenu.

Elle s'est interrompue. Le regard qu'elle m'a jeté était empreint d'un profond mépris.

— Essaie au moins de commencer avant qu'on soit obligés de venir terminer ton travail à ta place.

Sans plus me regarder, elle a regagné le camion à grandes enjambées a ouvert la portière et ordonné:

— Allons-y, Tyler.

Il a hésité une minute en me regardant de loin, puis il est monté. Les portes ont claqué et ils sont partis comme s'ils avaient le diable à leurs trousses.

13

Je suis resté là, à regarder le camion se frayer un chemin tant bien que mal le long de la ligne boueuse de la clôture, pour finalement gravir une petite colline et disparaître de l'autre côté. J'étais tout seul avec les moustiques. J'ai jeté un œil sur le sentier menant à la maison. Deux milles de boue et de maringouins, sous le soleil accablant de juin. Tout ça, avant que je revienne m'attaquer à ces satanés barbelés? Qui disait que je reviendrais? Je marcherais, bon. Et je continuerais de marcher. Je n'avais pas été mis au monde pour servir d'esclave à Laura.

Je me suis mis en route. J'ai parcouru environ cent verges, puis je me suis arrêté.

Je ne sais vraiment pas pourquoi. Peut-être parce que je déteste marcher? Non, il y avait autre chose: le regard que Laura m'avait jeté, avant de s'en aller continuait de me tarauder. Je comprenais — pas vite, le Manuel! — ce que ce regard signifiait. Elle m'avait rayé de sa vie. Laura McConnell avait décidé que je ne valais pas la peine qu'elle s'occupe de moi. Non seulement elle était persuadée que je *ne ferais pas* le travail qu'elle m'avait assigné, mais elle était certaine que *je n'en étais pas capable*. Tandis que mon jeune frère, lui, le pouvait. Mais il était différent: il avait du cœur au ventre, lui, il savait se rendre utile...

J'ai fait volte-face. O.K., Laura, regardez-moi aller. Je ne ferai rien à votre manière, mais je vais agir. Pas question de perdre la moitié de la journée à retourner chercher une stupide paire de gants.

J'ai pris les cisailles et le contenant de peinture et j'ai suivi la clôture en arrachant les crampons. Tous les crampons. Plusieurs à la fois: c'était trop long, autrement. Dégageons d'abord le fil de fer, on l'enroulera plus tard.

C'est devenu un rythme. Saisir le crampon avec les pinces, le déstabiliser puis le laisser tomber dans le contenant de peinture. Trois fois par poteau. Je détruisais. Ça m'allait.

J'ai essuyé la sueur qui m'aveuglait et regardé l'heure à ma montre. À peine plus d'une heure s'était écoulée. Et trois rouleaux de fil barbelé étaient étendus sur le sol. Maintenant, tout ce qu'il me restait à faire, c'était de les enrouler.

J'ai saisi le bout d'un des fils et j'ai entrepris de le mettre en cercle. Ce n'était pas facile, à mains nues, mais j'y allais délicatement... J'achevais presque la quatrième boucle. Ça allait bien. Tout tournait rond. Pas de pépins. J'ai retiré ma main droite pour ajouter une autre boucle quand, tout d'un coup, le fil entier s'est détendu. Il a volé dans les airs, les pointes fendant l'espace comme des guêpes enragées. L'une d'elles a accroché ma veste pendant qu'une autre déchirait ma main au sang, mais c'est la piqûre soudaine sur ma pommette gauche qui m'a fait tiquer. J'ai levé la main pour la toucher et ma paume est revenue tout rougie. La blessure n'était pas grave, mais la pointe m'avait manqué l'œil de peu. La voix de Laura m'est revenue en mémoire. «Les pointes déchirent la peau. C'est dangereux.» Et comment!

J'ai recommencé l'opération à zéro. Cette fois, je me suis appliqué à mon travail.

Glisse le fil dessous, puis dessus, avait dit Laura. D'accord. Je comprenais le procédé. Et ça allait très bien. Mais il fallait tenir le rouleau serré. Plus il devenait lourd, plus c'était difficile d'y arriver sans saisir aussi les pointes. C'était comme d'essayer de presser un porc-épic contre soi sans être transpercé par ses piquants.

Au début, j'ai eu mal à chaque coupure. Je m'arrêtais, je suçais le sang et j'essayais d'en arrêter le flot avant de reprendre le rouleau. Après un certain temps, ça n'a plus eu d'importance. Je ne voyais plus le sang des nouvelles blessures à cause de celui des anciennes. J'ai continué de rouler les barbelés comme si de rien n'était, m'arrêtant à tout bout de champ pour redresser les trois fils qui s'emmêlaient. J'aurais dû dégrafer un fil à la fois, comme Laura m'avait dit.

Bien sûr, tout devait toujours être fait au goût de Laura! Eh bien non! pas cette fois-çi, ma chère. J'en viendrais à bout à ma façon. Je lui montrerais.

Je croyais ne jamais en finir avec ce premier rouleau. Je n'en avais pas la moitié d'enroulé qu'il était déjà extrêmement lourd. Si lourd que je pouvais à peine le rouler sur le sol pour y ajouter d'autres rangées. J'ai finalement coupé le fil et commencé un autre rouleau. Je ne savais pas comment Laura aimerait ça et je m'en balançais.

J'ai enfin fini le premier rang. Je me suis affalé dans un coin d'ombre plein de maringouins et je suis resté là quelques minutes, trop fatigué pour bouger. Puis, je me suis relevé. Dans ma tête, je voyais Laura surgir en haut de la colline, prendre la relève et finir mon ouvrage avec, sur la figure, cet air supérieur que je lui connaissais. Je me suis attaqué à la rangée du milieu.

Mes mains étaient si écorchées que je ne sentais plus les nouvelles coupures, et le devant de mon pantalon était taché de rouge noirâtre, là où je m'étais essuyé. Mais je persévérais. Cette besogne, je la finirais.

Le deuxième fil m'a semblé plus facile à manœuvrer que le premier. Il ne restait plus qu'un autre fil qu'il fallait enrouler. Ou bien peut-être que je devenais plus malin? Pas assez, cependant, pour m'arrêter. J'avais mal au dos, de m'être tant penché et d'avoir roulé ces lourds rouleaux. Si mal que j'avais peine à me redresser. Je me suis dit que si j'arrêtais de bouger, je serais frappé de paralysie dans la minute. Alors, j'ai continué. Il n'y avait pas de brise dans les bois épais où j'étais et le soleil de l'après-midi rendait l'endroit pareil à une étuve. Avant de m'attaquer au dernier rang de barbelés, j'ai lancé ma veste sur un poteau. Les maringouins se sont jetés sur moi, mais j'étais trop fatigué pour leur faire la guerre. Roule, tisse, soulève, démêle, coupe, saigne.

J'ai appuyé le dernier gros rouleau contre un poteau. Je m'y suis appuyé, moi aussi. Il me fallait un support pour rester debout. Les muscles de mon dos tremblaient et je respirais aussi fort qu'après avoir couru le marathon. Tout ce que je souhaitais, c'était de m'écraser dans l'herbe et d'enfouir mes mains douloureuses dans la boue fraîche. Je me sentais malade. Et je n'en pouvais plus.

«Vous entendez, Laura, je n'en peux plus», ai-je crié dans la forêt silencieuse. Eh oui, je l'admettais; je me rendais. Et maintenant, qu'est-ce que j'attendais? «Qu'est-ce que vous attendez, Laura?»

Je me suis mis à rire, mais mon rire a failli se changer en sanglots.

Eh, le gars, prends ça *cool*. Tu ne vas pas t'évanouir parce que tu n'as pas mangé depuis... Pour la première fois depuis des heures, j'ai regardé ma montre. J'ai fixé les chiffres, incrédule. Quatre heures seize. Impossible. J'avais travaillé à ça toute la journée? Mais qu'était-il arrivé à Laura et à Tyler? Ils auraient dû être là depuis longtemps.

J'allais m'inquiéter quand j'ai entendu le bruit du moteur. J'ai redressé ma tête fatiguée. Un camion roulait le long de la ligne de la clôture, mais ce n'était pas celui de Laura. Du moins, pas à ce qu'il me semblait. Était-ce même un camion? Plutôt un monstre préhistorique tout juste émergé d'un puits de bitume. Chaque pouce de la carrosserie et presque tout le toit étaient recouverts de boue noire poisseuse. Même les vitres étaient tellement crottées qu'on ne pouvait pas voir à l'intérieur. Seul l'espace nettoyé par les essuie-glace était clair.

Le véhicule s'est arrêté. C'était bien le camion de Laura. J'ai caché mes mains derrière mon dos. Tyler a sauté à bas de son siège.

— Eh, Man! qu'il a crié, tu aurais dû être là. Mon vieux, on s'est embourbés dans les grandes largeurs. Laura a roulé dans un trou de boue et le camion a calé dedans. On a marché jusque chez les Goodwin pour leur emprunter leur tracteur. Laura disait que c'était moins loin que la maison. Et là, le tracteur s'est pris, lui aussi.

Tyler continuait de parler, mais je ne l'écoutais que d'une oreille. Je regardais Laura. Elle était sortie du camion et regardait, sans bouger, la ligne de clôture.

Ses yeux se sont posés sur moi, étonnés. J'ai pensé:

«Ravalez vos paroles, Laura. Le travail est fait. Vous n'aurez plus à vous moquer.»

Je l'ai pensé sans le dire et j'ai jeté au camion un regard moqueur en demandant, innocemment:

— Avez-vous pris le quatre par quatre pour un char d'assaut, Laura?

Sa figure a viré au rouge. Pas de farces! Laura a rougi. C'était la première fois que je la voyais mal à l'aise: mon meilleur moment de la journée. Mais je n'en étais pas quitte pour autant. Avant qu'elle ait pu répondre à mon sarcasme, je me suis redressé et éloigné du poteau contre lequel j'étais appuyé.

— Où voulez-vous mettre le fil de fer? ai-je demandé avec désinvolture, comme si je roulais tous les jours des milles de barbelés avant le déjeuner.

Laura a hésité, puis, l'air tout aussi détaché, elle a dit:

— Apportons-le au camion. Viens, Tyler. Donne-nous un coup de main.

Les rouleaux étaient lourds, même à trois. J'ai tenté sans succès de cacher mes mains à Laura. Elle les a vues dès que nous avons soulevé le premier ballot et elle les a fixées pendant que moi, j'évitais son regard.

Elle n'a rien dit. Mais Tyler, si. Il a eu un hoquet d'horreur.

— Man, qu'est-ce que t'as fait?

— Ferme-la, Tyler.

Après avoir chargé le dernier rouleau, on est montés dans le camion. Laura l'a conduit jusqu'à la maison. Voyage plutôt silencieux. On était presque rendus quand Laura m'a jeté un regard de côté.

— Si tu étais à mon emploi, Manuel, je te congédierais pour avoir fait quelque chose d'aussi stupide.

Je lui ai retourné son regard.

— Si j'étais à votre emploi, Laura, il y a longtemps que j'aurais lâché. J'ai fait le boulot. En quoi ça vous regarde, la façon dont je l'ai fait?

Laura a haussé les épaules, dégoûtée de moi.

— Ça me regarde quand tu laisses des empreintes sanglantes sur mes poignées de portes.

«Pour de la sympathie, faudra repasser», que je me suis dit.

Dès qu'on est entrés dans la maison, elle a mis trois steaks sous le gril.

— Bleu, pour moi, a dit Tyler, en mettant spontanément la table. Je pourrais dévorer un bœuf entier. Toi, Man?

Il avait oublié qu'il était fâché contre moi.

J'ai fait non de la tête; je ne me sentais pas dans mon assiette.

— Pas faim. Je vais me coucher.

La voix impérieuse de Laura m'a figé sur place.

— Non, pas maintenant.

— Quoi?

— Tu vas d'abord te laver les mains et tu rappliqueras ici. Dès que nous aurons mangé, je t'emmenerai en ville pour te faire donner une injection antitétanique. Avec toutes ces plaies de barbelés, tu est un candidat de choix pour l'infection.

— J'en ai eu une le mois dernier, à l'école.

Je déteste les injections. J'avais presque réussi à échapper à celle-là. J'étais maintenant bien content de l'avoir eue. Laura avait l'air contente, elle aussi.

— Magnifique! Ça va nous épargner un voyage.

— Alors, là, je peux aller me coucher?

— Non, je vais nettoyer tes plaies.

— Jamais de la vie.

Laura a eu l'air résigné.

— Bon! On va en ville, après tout. Le docteur s'y connaît mieux que moi de toute façon. Peut-être qu'il te fera hospitaliser pour la nuit.

J'ai poussé un soupir. Essayer de l'emporter sur elle, c'était comme lutter contre une pieuvre. Je me suis lavé. Nous avons mangé. Tout étonné, j'ai découvert que j'avais faim. Puis, Laura a sorti un bol d'eau chaude et une grosse bouteille d'antiseptique. À elle toute seule, l'odeur de ce remède me rendait malade. Laura a vidé à peu près la moitié de la bouteille dans l'eau. Puis, elle a mis le plat devant moi. Je savais que je n'aimerais pas ça.

— Allons-y, Manuel, qu'elle a dit, aimablement; trempe tes mains dans l'eau.

Tyler s'est assis, malheureux, à l'autre bout de la table, comme s'il allait assister à une opération à cœur ouvert.

— Ça va faire mal, Man, qu'il a dit, plus intéressé que sympathique.

J'ai fusillé Laura du regard, mais ça ne l'a pas impressionnée.

— O.K., O.K., c'est bien pour vous faire plaisir.

— Sans aucun doute, qu'elle a dit, très calme.

J'ai posé mes mains dans l'eau. Tyler avait raison. Ça faisait mal. Tellement que j'ai voulu les retirer aussitôt. Mais je ne l'ai pas fait. On a son orgueil! J'ai regardé Laura et j'ai souri en crânant:

— Êtes-vous certaine que ce soit assez fort?

Elle m'a lancé un regard assassin et a tendu la main de nouveau vers la bouteille. J'ai reculé. Vite.

— C'était une blague.

— Quel pauvre joueur de poker tu ferais! s'est-elle exclamée en s'attaquant au lavage de la vaisselle et en m'abandonnant à ma misère.

Elle est enfin revenue vers moi et a enlevé mes mains de l'eau. Elle les a examinées et a constaté, consternée:

— Quel gâchis, Manuel!

Elle avait raison, aussi bien l'admettre. Je ne l'ai pas dit tout haut, et je l'ai laissée enduire mes mains d'une sorte de baume puis les envelopper avec de la gaze. J'avais l'air de Rocky, prêt à enfiler ses gants de boxe. Tout le temps que ça a duré, elle a bougonné contre la stupidité des jeunes. À sa merci, comme je l'étais, j'ai encaissé. J'ai remarqué, quand même, qu'en dépit de sa colère contre moi, elle s'est montrée plutôt douce dans sa manière de me soigner.

Elle a finalement terminé le dernier pansement, puis, se reculant, elle m'a examiné de pied en cap.

— Alors, fameux lapin, qu'elle a dit, comment tu te sens?

Je l'ai regardée.

— Pas si mal. Je vais survivre.

Elle a hoché la tête.

— Pas de doute. Seuls les bons meurent jeunes.

Sa voix était maussade, comme d'habitude, mais quelque chose qui ressemblait à un sourire s'est faufilé sur son visage, comme elle se détournait.

Je suis resté éveillé longtemps, cette nuit-là, à me demander comment je pourrais apprendre à détester Laura McConnell.

14

La semaine qui a suivi a été bien tranquille. Pas le choix. Pendant deux jours, les mains m'ont fait si mal que j'avais même de la difficulté à me nourrir. Ça avait son bon côté: je ne pouvais vraiment pas laver la vaisselle. Au grand désespoir de Laura, sans doute. On ne s'en tirait pas trop mal, elle et moi, depuis l'affaire du fil barbelé. Même si elle continuait de m'en vouloir, j'y avais gagné une sorte de respect — accordé à contrecœur — parce que j'avais osé relever son défi.

Vers la fin de la semaine, je me suis senti mieux. Beaucoup, beaucoup mieux. Le samedi soir, il y avait le concert du groupe AC/DC à Calgary et j'y allais. Comment? Il me faudrait m'organiser. Après la soirée de l'Enfer, demander la permission à Laura n'aurait mené à rien.

La solution à mon problème m'est venue de Laura elle-même, le mercredi soir.

Au souper, elle m'a appris qu'elle se rendrait à une réunion de l'Association des Chevaux de selle à Red Deer, le samedi soir et de ne pas l'attendre parce qu'elle rentrerait très tard. Moi aussi.

Laura y rencontrerait un ami et souperait là-bas en sa compagnie, ce qui faisait qu'elle ne serait pas dans le portrait pour un bon bout de temps.

Tyler m'a regardé m'habiller, ce soir-là, l'air désapprobateur et il m'a répété son éternel:

— Laura n'aimerait pas ça.

J'ai poussé mon t-shirt dans mes jeans et endossé ma veste de cuir.

— Laura ne saura jamais que je suis sorti.

— Combien tu gages? La dernière fois que tu t'es éclipsé, ça a foiré.

— Parce que mon cornichon de frère a peur des maringouins. Cette fois, si tu gardes ton clapet fermé, ça va marcher.

— Tu veux dire: si je mens pour toi.

J'ai riposté, excédé:

— Tyler, si je suis encore ici, chez Laura, c'est à cause de toi.

C'était un coup bas mais efficace. Tyler a rougi.

— O.K., Man, qu'il a dit en fixant le plancher, je ne te trahirai pas.

— Promis?

Il a levé la tête.

— Promis.

— Merci, vieux, que j'ai dit en lui ébouriffant les cheveux avant d'aller dehors rencontrer Keith.

Il était déjà là, la paume de la main tendue.

— Envoie l'argent, garçon!

Ma main s'est portée automatiquement à ma poche et s'est arrêtée à mi-chemin. Les vingt-cinq dollars n'y étaient plus. Bien sûr, puisque je les avais donnés à Tyler pour les fleurs. J'avais vraiment réussi à faire le vide autour des funérailles de grand-maman. Maintenant, s'il ne me venait pas une idée brillante très vite, c'était foutu, je n'irais pas au concert.

— Aboutis, Man, a crié Keith, pour dominer la pétarade de la moto au ralenti. On n'a pas toute la nuit.

— Oui, oui, j'arrive. Attends-moi juste une seconde.

Je suis retourné en courant dans la maison.

— T'as oublié quelque chose? m'a demandé Tyler.

— Euh, oui. Mon peigne. Va donc voir s'il ne serait pas dans le tiroir du haut de la commode, veux-tu?

Il m'a jeté un regard étrange, mais il m'a obéi. Il lui faudrait un bon moment pour chercher le peigne, puisque je l'avais dans ma poche. J'aurais le temps qu'il me fallait.

Une seconde plus tard, j'étais à genoux au-dessus du comptoir de la cuisine, à tâter derrière les bols de l'étagère du haut. Ma main a touché la jarre. Je l'ai tirée vers moi avec un soupir de soulagement. L'argent y était. Comme le jour où Laura me l'avait montré, alors que Tyler et elle s'en allaient refaire la clôture et que moi, à cause de mes mains, je restais à la maison.

Le maréchal-ferrant devait venir ferrer Chance et Chef.

— S'il passe, tu le paieras avec l'argent du dépannage, avait dit Laura en tirant la jarre de l'armoire.

Il n'était pas venu et je n'avais pas eu besoin de l'argent, ce jour-là. Aujourd'hui, il y avait urgence. J'ai retiré les billets. Plus de cent dollars. Assez pour aller loin. Je les ai regardés une longue minute, tenté. Non, je ne pouvais pas faire ça. Lentement, j'ai déroulé deux dix et un cinq et remis le reste en place. Je refermais tout juste la porte de l'armoire quand Tyler est revenu.

— Je n'ai pas trouvé ton peigne. Tiens, si tu ne peux pas t'en passer, prends le mien.

Il me l'a tendu. J'ai hésité, me sentant moche, sans trop savoir pourquoi. Je l'ai pris et je me suis défilé, le regard fuyant.

— Merci.

Je suis monté en selle derrière Keith.

— Le voilà, ton sale argent! que j'ai dit en le lui flanquant dans la main.

Je lui en ai voulu jusqu'à Calgary.

Puis, nous avons franchi la porte du Saddledome, au cœur d'une mer de denim et de cuir, et plus rien n'a eu d'importance pour moi que de faire partie de cette foule bruyante et chahuteuse. J'en avais tellement rêvé. La liberté. L'occasion de me perdre dans les sons et dans les lumières en laissant tout derrière. Dès l'instant où les gars de la batterie sont montés sur scène et où les premières notes de la guitare ont jailli des gros haut-parleurs, le reste du monde s'est effacé, emporté par le rythme torrentiel. C'était ça, vivre. Ça. Et rien d'autre. Un immense carnaval de néons, de feu, de musique explosant tous ensemble, un endroit où personne ne s'inquiète de qui tu es ou de ce que tu as pu faire avant. Une euphorie légale qui se dissipe trop vite. Je suis sorti de là si survolté que j'avais l'impression de pouvoir faire n'importe quoi, d'aller n'importe où, d'être n'importe qui.

La nature elle-même semblait vouloir prendre part à l'action. Un orage se préparait au-dessus de la ville. Des éclairs brillaient, et le tonnerre grondait assez près pour que le pavé vibre sous nos pieds. L'orage ne me faisait pas peur. J'aime les orages. Celui-ci, c'était la grande finale du concert. Un solo fou de tambour et le feu d'artifice au plus haut voltage du monde.

— Allez, Keith, laisse-moi conduire, ai-je dit, pendant que nous mettions nos casques.

— Pas question, a rouspété Keith, que l'affaire de la carrière de sable tourmentait encore.

Sans me laisser démonter, j'ai insisté.

— Tu as conduit pour venir. Laisse-moi conduire au moins jusqu'à mi-chemin.

Je l'ai eu à l'usure. Il a grommelé quelque chose et m'a finalement lancé la clef.

— O.K., tu conduis, mais dépêche. Il va pleuvoir.

J'étais arrivé à mes fins. J'ai conduit sur la ligne rouge, à tombeau ouvert, fendant la circulation très dense et riant de semer derrière nous les voitures rapides.

Nous sommes sortis de la ville avant que l'orage n'éclate et nous roulions à vitesse de croisière vers Airdrie quand j'ai senti la première vibration. J'ai d'abord cru que je l'avais imaginée, mais elle s'est répétée. Tout d'un coup, j'ai senti la moto passer au neutre. J'ai tenté de la remettre en grande. Sans succès. Je l'ai dirigée vers l'accotement et l'ai laissée s'arrêter d'elle-même.

— Qu'est-ce qu'il y a? a crié Keith dans mon oreille.

J'ai coupé les gaz.

— Sais pas; la transmission, je pense.

Keith a poussé un cri rauque.

— La transmission! Tu as brisé la transmission de ma moto?

— Moi? Voyons donc! Je conduisais, c'est tout.

— Oui, peut-être, mais ce que tu lui as fait dans les à-pic de la carrière, ça l'a fatiguée, et encore tout à l'heure, à rouler comme un fou en ville. Qu'est-ce qu'on va faire?

— Du pouce, j'imagine.

— Oh! certain. Une autre de tes idées brillantes: rentrer sur le pouce en abandonnant ma moto sur la route pour qu'elle se fasse démantibuler.

— T'as mieux à proposer?

Il a réfléchi une minute.

— Oui. On n'est pas loin de Calgary. On va cacher la moto dans le fossé et faire du stop jusque chez mon père. Il viendra la ramasser avec son camion.

J'ai poussé un soupir. Ce serait une longue nuit. Laura reviendrait avant moi. Tâchez d'avoir une crevaison ou quelque chose, Laura, je vous en supplie!

15

Faire du pouce sur la Deux à minuit est une expérience très intéressante — à peu près autant que de jouer à la roulette russe. Tu cries victoire chaque fois que tu ne te fais pas faucher par une auto. C'est à croire qu'elles fondent toutes en ligne droite sur toi. D'après moi, la plupart des chauffeurs voient trop de films comme *The Hitcher* et s'imaginent que tous les auto-stoppeurs sont des tueurs psychopathes et que les prendre pour cible est de bonne guerre. Les autres ne te voient même pas. Ils foncent à toute allure sur l'autoroute, leurs phares bien brillants, leurs yeux bien fermés et si, par hasard, ils t'aperçoivent dans leur rétroviseur de portière, c'est trop tard!

Il y a deux façons de s'y prendre, pour faire du pouce. La première, c'est d'y aller prudemment, en te tenant loin du chemin, un pied dans le fossé et en t'assurant que tu ne te fais pas frapper. L'inconvénient, c'est que personne ne te remarque non plus. On a essayé cette façon-là pendant la première demi-heure.

Puis, comme un autre orage menaçait, on a essayé la deuxième, plus agressive. Là, tu te penches carrément dans la circulation, de façon que les phares avant te voient bien. Comme ça, tu cours davantage le risque d'être frappé et... tu n'a pas plus de succès.

Les voitures ont passé comme l'éclair, les unes après les autres, si près qu'on aurait pu les toucher.

— C'est inutile, Man, a soupiré Keith, alors qu'on respirait encore les parfums des cochons entassés les uns par dessus les autres dans le véhicule qui venait de passer en trombe devant nous. On ferait mieux de se coucher dans le fossé et d'attendre qu'il fasse clair. On ne trouvera personne pour nous conduire cette nuit.

— C'est une idée du tonnerre, ça, Keith. Les fossés sont tout indiqués pendant les orages. Ils se remplissent d'eau et...

— Oh, ferme-la, Man. Tu as toujours réponse à tout. Si tu n'avais pas amoché la moto aussi, on n'en serait pas là. J'aime mieux être mouillé et vivant que de me faire écrabouiller par un de ces maniaques.

— Tu as de la chance, toi. Tu peux rentrer à l'heure qui te plaît, parce que ta mère te passe toutes tes fantaisies. Tandis que moi, si Laura apprend que je suis sorti, je ne suis pas mieux que mort.

— C'est donc ça: Laura. Encore! Depuis que tu vis au ranch, tu te prives même d'éternuer, au cas où elle l'apprendrait. Tu ramollis, Man! Tu es en train de devenir le bon petit garçon de Laura, comme ta lavette de frère.

J'ai failli lui sauter dessus. Mon poing se préparait à frapper quand j'ai aperçu l'auto. Elle roulait moins vite que les autres. Celle-là s'arrêterait.

J'ai poussé Keith hors de mon chemin et sifflé entre mes dents:

— Gare à toi, Ericsson. C'est ma *ride* et si tu veux la partager, tu te la boucles.

L'auto avait un phare éteint mais l'autre brillait tout plein. Il m'a si bien ébloui qu'il m'a fallu une seconde pour décider de quel côté était l'autre. Le côté éloigné. Il fallait bien que ce soit ça: le bon était tellement près de l'accotement droit de la route. Je me suis avancé pour que le chauffeur me repère bien: j'ai failli devenir un ornement du capot de son auto. J'allais plonger tête première dans le fossé quand j'ai compris que le bon phare était du côté gauche de l'auto. L'idiot qui la conduisait faisait sa promenade du dimanche sur l'accotement.

J'ai frappé le fond du fossé en sacrant, échappant par miracle à l'ensevelissement.

Je m'étais rassis pour évaluer les dommages quand Keith m'a saisi par le col de ma veste et m'a remis sur pied.

— Eh! arrive. L'auto s'est arrêtée.

Avant que j'aie pu répondre, il était parti, les talons aux fesses, vers les feux arrière de l'auto immobile. «Bravo, Keith! Toi, tu l'as l'affaire. Le gars vient pratiquement de tuer ton copain et tu te précipites à sa rencontre. Il s'est probablement arrêté pour prendre du recul et s'escrimer une autre fois contre moi.»

— Ça va, ça va, je viens, que j'ai crié, en me mettant à courir presque malgré moi.

Quand j'ai été assez près du véhicule pour le voir — c'était une fourgonnette — j'ai failli éclater de rire. Le phare brûlé aurait dû éveiller mes soupçons. Toute la bastringue était juste bonne pour la ferraille.

C'était une Chevrolet 72 ou 73 — quand les autos sont plus vieilles que moi, je m'embrouille dans mes dates — et elle était bleu foncé. Ou, tout au moins, elle l'avait été. Maintenant, elle ressemblait plus à un cheval pinto qu'à n'importe quoi d'autre. Bleu foncé avec de grandes taches de couche d'apprêt d'un rouge oxydé. Quand même, c'était une vieille belle, une fourgonnette *hot-rod* authentique. Pas de farces, elle avait des enjoliveurs. En chrome? Oui, rouillé. C'était effarant.

Mais ça, ça avait des roues, et ça s'en allait à Calgary. Et il pleuvait à torrents.

À ce moment-là, la portière s'est ouverte, comme un peu ivre, du côté du chauffeur. Les pentures ont protesté. Le chauffeur est sorti, comme ivre, lui aussi, et j'ai vu, pour ne pas dire senti notre nouveau pote pour la première fois. J'ai mis un petit moment à me remettre de cette apparition, mais l'odeur, elle, m'a fondu dessus instantanément: la tonne, plus, en rajouté, une bouffée de peau mal lavée.

Le gars faisait six pieds deux. Gros nez, long cou, pomme d'Adam nerveuse. Il me faisait penser à un poulet mal nourri. À voir ses cheveux gominés et ses favoris, on devinait l'émule d'Elvis Presley. Il m'a enveloppé d'un regard vague puis m'a souri de toutes ses dents jaunes.

— *Howdy*! qu'il a dit.

Pas de farce. C'est vraiment ce qu'il a dit. Et c'est juste là que j'ai vu qu'il portait une chemise de cow-boy en satin — avec des franges, eh oui! — et une ceinture à la boucle imitation argent si énorme qu'elle l'amocherait en permanence s'il se penchait trop vite. Ce qu'on avait là, c'était une copie conforme d'une imitation authentique d'un cow-boy.

— Shoofer-le-party est mon nom, qu'il a dit, et célébrer, c'est mes oignons.

Il a ri comme un idiot et m'a donné une claque sur l'épaule qui m'a presque jeté à terre.

— Pourquoi faire que t'as sauté dans le fossé, garçon? Tu aurais dû faire confiance au vieux Shooter.

Ça devait être son mot d'esprit le plus réussi, parce qu'il s'est plié en deux et qu'il m'a labouré les côtes, en hennissant un nouvel éclat de rire qui m'a presque achevé par ses relents de vapeurs de bière.

Je suis resté planté là à le regarder, croyant à une hallucination ou à Dieu-sait-quoi, mais il n'a pas semblé s'en rendre compte. Il a continué son spectacle.

— Qu'est-ce que vous faites ici, les gars, en plein cœur de nuit? Vos blondes ont volé votre auto?

Autre éclat de rire et autre coup dans les côtes. Si ça continuait j'aurais besoin d'un médecin.

Keith a élevé la voix.

— Ma moto est restée là-bas, dans le fossé. La transmission est foutue.

Shooter s'est caressé le menton, pensif.

— Moto? Vous faites pas partie des Hell's Angels, ou d'une bande de même, hein, les gars?

— Pas vraiment.

— Ah! bon. (Il avait l'air un peu déçu.)

Il nous a examinés pendant une éternité. Je m'étais résigné à marcher jusqu'à Calgary, quand il a énoncé sa décision.

— Bon, je crois pas que vous allez nous faire des misères, à Ronnie et à moi. Grimpez en arrière.

Il s'est reculé pour négocier sa portière et a expliqué:

— Faudra ramper à partir d'ici. Le panneau arrière fonctionne pas.

J'ai hésité. Être à l'abri de la pluie, c'était bien, mais être à la merci de ce gars-là, c'était inquiétant. Keith m'a donné un coup de coude impatient.

— Dépêche-toi avant qu'il change d'idée. Il pleut à torrents, maintenant.

J'ai grimpé à l'intérieur. Un gars plus petit que Shooter, tête chauve et grosse moustache duveteuse, nous regardait de ses yeux torves, du siège du passager.

— Ça, c'est Ronnie, a dit Shooter.

Ronnie a acquiescé solennellement et a décapsulé une bouteille de bière. Il n'avait pas l'air enchanté de nous voir. Moi non plus, quant à ça. Toute cette histoire commençait à me donner la chair de poule. Au point que j'aurais préféré la pluie à cet abri. Trop tard pour changer d'idée. Shooter s'enfournait sur l'autoroute.

— Pas saisi vos noms, les gars, qu'il a dit, en pesant sur l'accélérateur et en se tournant pour nous regarder.

On lui a dit nos prénoms et ça lui a suffi. Il a ramené son attention à son volant et a fait faire une embardée au véhicule juste à temps pour éviter d'emporter le garde-fou d'une courbe qu'il négociait de trop près. Ça l'a un peu raplombé. Il a gardé les yeux sur la route un moment, et je me suis détendu assez pour jeter un œil autour de moi.

Pas d'erreur, l'intérieur de la fourgonnette avait autant de classe que l'extérieur. À l'avant, les deux sièges étaient si déglingués qu'ils avaient l'air d'émerger tout droit d'un dépotoir. La chiche lumière filtrée de poussière qui parvenait du tableau de bord donnait à sa surface fendillée une apparence fascinante. Elle comptait autant de canyons qu'une vue aérienne des Montagnes Rocheuses. Quelqu'un avait essayé de bricoler l'intérieur de la fourgonnette pour le rendre habitable. Des panneaux d'aggloméré déformés te pendaient au-dessus de la tête, semant dans tes cheveux les poils cramoisis de leur doublure en tapis.

Ce qui a surtout retenu mon attention, c'est le râtelier d'armes qui pendouillait dangereusement sur l'un des murs mal arrimés. Il y avait là deux fusils puissants et une carabine, qui, *eux*, semblaient bien entretenus et souvent utilisés. Ça m'a fichu la trouille, puis je me suis dit que ces gars-là étaient trop bêtes pour être dangereux. De la confrérie des chasseurs-de-petits-chemins-encaissés-qui-tirent-à-l'année-longue-sur-tout-ce-qui-bouge-pour-dénicher-des-proies.

La circulation s'était beaucoup allégée, et c'était bien, parce que Shooter roulait à volonté sur les trois voies et sur l'accotement. Monter avec lui avait été une grave erreur. Dès qu'on entrerait en ville, je m'éclipserais. Et vite. On arrivait au tournant de la 16e Avenue quand Shooter s'est tourné — il se tournait tout le temps — pour nous demander, entre deux gorgées de bière:

— Alors, où vous allez, les gars?

— Attention! a grincé Ronnie, et Shooter s'est rappelé qu'il conduisait juste à temps pour nous éviter de grimper dans un fourgon à bestiaux.

Keith lui a donné l'adresse: «Un peu plus loin vers l'Ouest. Je vous montrerai comment vous y rendre.»

— Pas de problème, a rigolé Shooter, et il a dirigé la fourgonnette vers la sortie qui suivait.

Elle indiquait 16e est. Si cette sortie nous menait vers le sud-ouest de Calgary, Shooter était un as. Moi, je me débinerais. Et vite. Tout de suite, peut-être, alors que nous nous allions nous arrêter au feu qui venait de passer au rouge, à l'intersection suivante. Je m'étais tourné vers Keith pour le lui dire, quand la vieille mécanique a tremblé et crié de douleur et qu'un élan de vitesse m'a repoussé contre le siège. J'ai protesté:

— Eh! Faites attention, Shooter. Vous venez de brûler un feu rouge à soixante milles à l'heure.

Il m'a regardé avec un grand sourire.

— Ben oui. Faut faire vite, avec ces affaires-là. Si tu ralentis, quelqu'un pourrait te frapper.

Il a lancé sa bouteille par la fenêtre.

— Donne-m'en une autre, Ronnie.

Ronnie a fouillé dans la caisse entre les sièges.

— Y en reste plus, qu'il a dit tristement.

— Ah non! ça se peut pas. Faut en trouver d'autre.

— Impossible, a dit Ronnie, tout est fermé.

Shooter s'est mis à rire et a viré sur les chapeaux de roue dans une rue latérale.

— Bon, on va résoudre ce problème-là. On va aller en chercher chez l'Oncle Don.

Il a stoppé abruptement dans la ruelle d'un centre commercial.

— Oh non! a protesté Ronnie. Compte pas sur moi pour ça.

— Qu'est-ce que t'as? lui a lancé Shooter, hargneux. T'as rien dans le ventre? Si tu me lâches, il y aura plus de prochaine fois, compris?

Ronnie s'est fait tout petit sur son siège. Il avait l'air bien embêté. Comme si irriter Shooter l'effarouchait plus que de faire face à un quelconque Oncle Don.

— Alors? a grogné Shooter.

— Je viens, a gémi Ronnie.

— Les gars, vous nous attendrez, a ordonné Shooter. Ça sera pas long.

Il a tangué dehors et Ronnie l'a suivi en rampant en travers du siège. Ça semblait la seule portière de la fourgonnette en état d'usage. Shooter l'a claquée derrière eux et ils ont disparu dans la pluie battante derrière l'angle d'un édifice. Keith m'a regardé.

— Qu'est-ce qui se passe? Où ils sont allés?

J'ai haussé les épaules.

— Va donc le savoir! Ouvrons cette porte et fichons le camp avant qu'ils reviennent.

Keith m'a regardé, déconcerté.

— Es-tu devenu fou, Jamieson? Il pleut à torrents et il est deux heures du matin. On est à vingt milles de la maison de mon père et on a la ville à traverser. J'ai cinquante-cinq cents en poche. Qu'est-ce qu'on va faire? Marcher ou prendre un taxi?

— Mon gars, je ne sais pas ce que toi tu vas faire, mais moi, je m'en vais. Ces types-là sont tellement soûls qu'ils voient tout croche. Même sobres, ils n'ont pas l'air d'être des lumières. Reste si tu veux. Moi, je pars.

Je l'ai enjambé et j'ai tendu la main vers la poignée. J'ai essayé de la tourner. Elle n'obéissait pas. En sacrant, je l'ai secouée. Shooter l'avait ouverte, lui. Il y a eu un déclic.

Sous le lampadaire, un éclair de mouvement m'a capté l'œil. Shooter et Ronnie rappliquaient, vifs comme des lièvres.

La prochaine chose que j'ai vue, c'est que la portière s'ouvrait toute grande et que j'étais relancé sur les genoux de Keith pendant que Ronnie et Shooter s'engouffraient à l'intérieur.

Shooter a mis le moteur en marche arrière.

— Je te l'avais bien dit, a grommelé Ronnie. Toi et tes combines.

— Ah, tais-toi donc, l'a coupé Shooter, démarrant en toute hâte. Comment j'aurais pu deviner qu'il y avait un dispositif d'alarme automatique?

On a tourné le coin en catastrophe et, là, j'ai aperçu la façade de l'édifice derrière lequel on s'était rangés. C'était une succursale de la Société des alcools et il y avait un grand trou dans la vitrine.

Je me suis abreuvé de bêtises: quand on pense que j'avais traité mon frère d'innocent. C'était moi, l'innocent qui n'avais pas eu de soupçons. L'Oncle Don! Don Getty, le premier ministre de l'Alberta. Ces farfelus venaient d'essayer de dévaliser un magasin de la Société des alcools du gouvernement de l'Alberta. Et j'étais resté assis là, à discuter avec Keith, alors que j'aurais pu filer sans demander mon reste.

J'ai entendu des sirènes au loin. Shooter aussi. Il a sacré et accéléré. Il a contourné tellement de coins de rue et enfilé de si nombreuses avenues que je ne savais plus où on en était. «Par chance que ces rues-là sont à peu près désertes à cette heure de la nuit», me disais-je comme les roues crissaient dans un tournant, mais voilà que le véhicule, qui roulait à gauche, s'est retrouvé nez à nez avec un balai mécanique. «Ça y est!» ai-je pensé, en baissant la tête, prêt à l'impact.

Il n'y en a pas eu. La fourgonnette a fait une autre embardée et je me suis retrouvé face à face avec le mannequin d'une vitrine. On roulait sur le trottoir, fauchant au passage les parcomètres comme l'aurait fait une moissonneuse-javeleuse. Ronnie pestait contre Shooter. Keith criait et Shooter leur répondait à tous les deux d'un même ton irrité. Moi, je ne disais rien. Plus j'ai peur, plus je me tiens tranquille, et je n'avais jamais été plus silencieux.

Shooter a réussi à remettre la fourgonnette dans la rue. Autre intersection. Autre feu rouge. Shooter a foncé quand même. Une auto de patrouille a surgi d'un terrain de stationnement, juste derrière nous, les gyrophares allumés et la sirène hurlante. Shooter a pressé sur le champignon.

«C'est pas vrai, que j'ai pensé, pendant qu'on traversait en trombe la ville endormie, la patrouille à nos trousses. Je ne suis pas en train de vivre ça. Je suis assis au cinéma et je regarde *La Patrouille de Beverly Hills* ou bien c'est mon imagination qui m'emporte.»

Shooter a contourné à folle allure un autre coin de rue et esquivé une auto qui y était stationnée. Il n'a pas ralenti, mais le contrecoup m'a ramené à la réalité.

J'aurais voulu saisir le maudit Shooter par sa pomme d'Adam, le jeter par la fenêtre, hors d'état de nuire, et immobiliser le véhicule avant qu'il ne soit trop tard et qu'on soit réduits en bouillie. On a tourné une autre fois et la plaque du nom de la rue m'a accroché l'œil: *Blackfoot Trail.* Oui, mais les policiers? Après ce déploiement, ils n'allaient pas donner à Shooter une contravention de trente dollars et nous retourner à la maison. Il était cuit. Nous aussi.

Les pneus ont crissé, et nous avons tourné un autre coin. J'ai essayé de voir où on était. On roulait vers une passerelle enjambant une route. Autre panneau de signalisation: *Glissant si humide.* «Parfait, ai-je pensé. Il pleut à torrents.»

Le premier dérapage m'a coupé le sifflet. Notre arrière-train zigzaguait hors de contrôle. On avait l'impression de voler. Je voyais les lumières de la ville briller sous moi. Les canettes de bière passaient en sifflant comme des missiles à l'intérieur de la fourgonnette. Je me suis recroquevillé. Il y a eu un fracas épouvantable et tout est devenu noir.

16

J'ai ouvert les yeux et je me suis demandé pourquoi tous les lampadaires de la ville étaient sens dessus dessous. Et là, je me suis rendu compte que c'était nous qui l'étions. Avec précaution, presque effrayé de bouger au cas où j'aurais quelque chose de cassé, je me suis dépris du fouillis. À ma grande surprise, j'étais intact.

J'ai regardé du côté de Keith. Ramassé en petit tas, il essuyait en marmonnant son nez qui saignait. À part son nez, il n'avait pas l'air trop amoché. À l'avant, Ronnie soulevait un bras qui paraissait fracturé et abreuvait Shooter d'injures pour l'avoir plongé dans une telle merde. Il gaspillait sa salive pour rien: Shooter avait perdu connaissance.

J'entendais quelque part des cris stridents. Quelqu'un avait sûrement été blessé gravement. J'ai cherché qui ça pouvait bien être et j'ai vu, devant, un éclair de lumière bleue. Puis, un éclair rouge. Il y avait des lumières bleues et rouges tout autour de nous. J'ai compris. Le cri, c'était celui de la sirène. Des autos de patrouille étaient là.

— Eh! là-dedans, si vous m'entendez, sortez les mains en l'air.

La voix, amplifiée, résonnait dans la fourgonnette. Les flics ne prenaient pas de risque de se mesurer à nous de trop près. Pour un groupe dangereux, on en était tout un! Si je n'avais pas été au cœur du gâchis, j'en aurais ri. Il n'y avait vraiment pas de quoi. J'étais dans la merde jusqu'au cou, pris dans la fourgonnette de Shooter avec deux voleurs. Accroché à la paroi branlante, pendait un arsenal plus complet que celui qu'avait utilisé Rambo pour faucher la moitié de l'armée russe. Mon vieux, les flics adoreraient ça. Ils nous emmèneraient tous au poste et nous interrogeraient, et quand ils connaîtraient mon statut de mineur, ils téléphoneraient à la maison.

Oh! non. Pas ça. Ils n'allaient pas appeler Laura et la faire venir ici en pleine nuit pour qu'elle leur explique pourquoi je dévalisais les magasins d'alcool, alors qu'elle me croyait endormi à la maison. Il y avait sûrement une autre solution.

J'ai donné un coup de coude à Keith et j'ai chuchoté:

— S'ils te demandent qui je suis, ne dis rien.

Il a cru que j'avais perdu la boule, mais j'établissais ma stratégie. Ça pourrait marcher. Je n'avais pas de carte d'identité sur moi. Comment sauraient-ils qui j'étais si je ne le leur disais pas? Et s'ils ne le savaient pas, ils ne pourraient pas téléphoner à ma gardienne. Laura ne saurait rien de cette aventure. Pour l'instant, c'est la seule chose qui comptait. Je mettrais éventuellement de l'ordre dans tout ça et je déciderais si je retournais chez elle ou non.

— Je répète: sortez, mains levées. Immédiatement.

La voix se faisait plus mordante. Comme si le gars au mégaphone se fâchait ou s'énervait. Peut-être aussi qu'il croyait qu'on se préparait à sortir mitraillettes au poing et qu'il préférait tirer le premier et poser les questions ensuite.

J'ai allongé le bras par-dessus Keith. Mais seul son nez lui importait. J'ai secoué la poignée de la portière. Elle fonctionnait mieux sens dessus dessous. La porte s'est ouverte à demi en grinçant.

— Amène-toi, Ericsson. Fichons-le camp d'ici! (Je tentais de l'inciter à me précéder, à me suivre ou, tout au moins, à s'ôter de mon chemin.)

— Fiche-moi la paix, a grommelé Keith, en pressant délicatement sa manche contre son nez et en me regardant comme si j'étais responsable de ses malheurs.

J'ai abandonné et j'ai rampé par-dessus lui, essayant de me glisser dehors.

— Rappelle-toi, Keith, tu ne me connais pas.

— Je voudrais que ça soit vrai.

Je suis sorti dans l'éclat aveuglant d'un projecteur, trop abasourdi pour bouger, me sentant comme le chevreuil que la lumière d'une lampe de poche immobilise et me demandant quand le chasseur allait m'abattre. Un individu s'est pointé devant moi. Une main de fer m'a saisi l'épaule me faisant pivoter et m'écrasant contre la paroi de la fourgonnette.

— Mains à plat sur le véhicule, et plus un geste, a rugi une voix dans mon oreille.

J'ai obéi. Des mains se sont baladées sur mon corps. Cherchant quoi? Je me le demandais. Des armes offensives? Désolé, les gars. Je n'avais pas apporté ma M-16 pour cette mission...

Le flic a achevé sa fouille. Bon. Content, l'ami? Tu peux me laisser aller, maintenant.

À peine avais-je fini de penser ça que le gars m'a saisi le bras et l'a tordu derrière mon dos. J'ai senti un métal froid mordre dans mon poignet. Il a tordu mon autre bras derrière. Il y a eu un déclic et j'étais menotté.

J'ai explosé.

— Eh, là, vous ne pouvez pas...

Il m'a saisi l'épaule et m'a fait rebondir sur la paroi de la fourgonnette, assez durement pour que j'y porte attention. Puis, avant que j'aie repris mon souffle, il m'a récité son laïus.

— Tu es en état d'arrestation pour t'être introduit par effraction dans un local. As-tu quelque chose à dire pour ta défense. Tu n'as pas à parler, mais sache que tout ce que tu diras pourra être retenu contre toi comme preuve. As-tu compris?

J'ai tourné la tête et je l'ai regardé.

— Introduction par effraction? Vol? Eh! Vous vous trompez. Je n'ai pas...

— As-tu compris?

— O.K., O.K., j'ai compris, mais je n'ai rien fait de...

Il m'a saisi rudement l'épaule et a commandé:

— Allons-y!

Un autre flic et lui m'ont emmené à pied vers une auto de patrouille qui attendait là. Il y avait deux ou trois ambulances sur les lieux. Shooter et Ronnie étaient hissés sur des civières et une couple de flics emmenaient Keith à pied à l'une des ambulances. Une ambulance pour un nez cassé? Ericsson, espèce de comédien!

J'ai regardé les ambulances disparaître au loin en hurlant, me rendant compte que, de nous quatre, j'étais le seul indemne. Tous les autres s'en allaient à l'hôpital. Pas moi. J'étais chanceux. J'allais au poste de police.

Quinze minutes plus tard, j'étais assis dans une petite pièce, harcelé par l'imbécile qui m'avait arrêté: le caporal Matthews.

— Très bien, qu'il a dit, sans même se donner la peine de lever les yeux du formulaire qu'il remplissait. Quel est ton nom?

Je n'ai pas répondu.

— Ton nom?

Cette fois, il m'a regardé. L'impatience le gagnait. J'ai fixé le plancher. Il a poussé un soupir agacé.

— Bon! On s'amuse, à ce que je vois, hein, face de rat. Ça me va. Je suis payé pour faire ça toute la nuit, alors, c'est ce qu'on va faire jusqu'à ce que tu te montres un peu plus coopératif. On essaie encore? Tu t'appelles comment?

J'en avais ma claque. Bon, s'il voulait un nom, je lui en donnerais un pour le rendre heureux. Joe Smith. C'est le premier nom qui m'est venu à l'esprit. Allez, Manuel, ce gars-là n'est pas un idiot. Pense à quelque chose d'original.

Et ça m'est venu comme ça, tout d'un coup: Angus Young. J'ai lancé ce nom tout fort, comme si c'était le mien. Puis, je me suis rendu compte d'où il m'était venu et j'ai failli mourir. Le concert. Angus Young. Le guitariste étoile d'AC/DC. Félicitations, Man, pour ce choix remarquable et si discret. Au moins dix mille personnes avaient vu Angus Young ce soir.

J'ai relevé lentement les yeux sur le flic, prêt à plonger, s'il décidait de m'administrer une correction pour avoir fait mon finfin. Croyez-le ou non, le gars n'avait pas réagi et écrivait ce nom. J'ai poussé un soupir de soulagement. De tout évidence, il n'était pas un fanatique du groupe AC/DC. D'ailleurs, peu de policiers l'étaient, à ce que j'en savais.

Il m'a regardé.

— O.K., Angus, qu'il a dit, et j'ai toussé pour dissimuler mon sourire. Continue. Date de naissance.

J'étais en terrain plus sûr. La vérité à propos de ma date d'anniversaire ne pouvait pas faire grand tort.

— Le 10 juillet.

— Quelle année?

Whoa. Avoir quinze ans n'irait pas. Les jeunes de quinze ans sont supposés avoir des parents — des parents auxquels les policiers téléphonent. Après un calcul rapide, j'ai vieilli de trois ans en cinq secondes.

— Mil neuf cent soixante-dix.

Matthews m'a examiné pendant un moment. Allez, vieux, crois-moi.

Je l'ai fixé droit dans les yeux, le défiant de m'appeler menteur. Il s'est secoué et a écrit.

— Adresse?

Les questions devenaient difficiles.

— Pas de domicile fixe, j'ai dit, me rappelant que j'avais entendu cette phrase aux nouvelles, à propos de certaines victimes de meurtres. Il l'a écrit.

— Ça va, Angus. As-tu une déclaration à faire?

— Oui. Je n'ai rien fait. Quand est-ce que je sors de ce trou?

Matthews m'a jeté un regard noir.

— Avec l'attitude que tu as, ça pourrait être long.

Il s'est levé.

— Allons-y.

— Où ça?

— En cellule.

— Eh! Vous ne pouvez pas...

Matthews m'a tiré debout d'un mouvement sec.

— Oui, je peux. Tu as été arrêté pour un crime encore sous investigation. Tu seras retenu ici jusqu'à ce que les autres suspects aient été interrogés.

Il m'a fait marcher hors de la pièce et le long d'un corridor. Il allait vraiment m'enfermer. Je n'avais pas prévu ça. Mais je m'en tirerais. J'avais passé une partie de la nuit de l'Halloween dans la prison de Crossing, l'année d'avant. Pas de quoi m'en faire.

17

Matthews m'a fait franchir une porte et m'a emmené dans une grande pièce contenant un tas de cellules. Ce devait être un soir occupé. Elles avaient toutes l'air pleines. J'ai regardé les gens à l'intérieur. Pas vraiment intéressés, ils m'ont rendu mon regard, l'air hébété, comme si j'étais une autre pièce de viande dans une usine d'emballage.

Le caporal a ouvert la cellule du fond et m'a fait signe d'y entrer, ce que j'ai fait. Il a fermé la grille à la volée, comme si ça le réjouissait d'entendre le bang se répercuter sur les murs de béton. Ça avait un son définitif. Comme si cette porte, une fois fermée, n'allait plus jamais s'ouvrir. J'ai frissonné.

— Dors bien, Angus, a dit Matthews, sarcastique, en s'éloignant.

Je me suis tourné pour voir le décor et, soudain, l'éclairage a diminué, laissant la cellule dans le noir. L'heure du dodo au zoo, me suis-je dit, et juste comme s'il répondait à un signal, le gorille s'est laissé glisser en bas du lit à étage. C'était le plus gros homme que j'aie vu de ma vie en dehors d'un ring de lutte. Il devait peser près de trois cents livres. Mais en le voyant traîner ses savates, hors de l'ombre, j'ai oublié sa grosseur. Ses cheveux ont retenu toute mon attention. Rouges. Rouge carotte. Plus abondants que ceux du commun des mortels. Ils lui allaient à la ceinture et s'éparpillaient dans toutes les directions comme une crinière de lion.

Il est resté à m'examiner à travers toute cette forêt, souriant dans une barbe à l'avenant. C'était un sourire un peu raviné. Les quatre dents du devant manquaient.

Il a allongé des mains puissantes et a saisi les barreaux. Mes yeux ont suivi, fascinés, chacun de ses mouvements. Il portait un blouson de jeans aux manches arrachées. Ses bras étaient nus et marqués de tatouages compliqués qui semblaient avoir été faits par un véritable artiste. Le poignard sur son bras gauche, avait du sang qui dégoulinait de la pointe. Le tatouage sur son bras droit faisait dresser les cheveux sur la tête. Un crâne — avec une belle denture bien saine. J'ai remarqué les dents parce qu'elles étaient refermées sur le corps d'une fille qui n'avait pas l'air trop amoché, malgré sa position précaire.

Lentement, le gars a tourné sa tête massive vers moi.

— Je te souhaite la bienvenue dans le vrai monde, a-t-il gargouillé du plus profond de son coffre puissant.

Je savais qu'il s'adressait à moi, mais ses yeux regardaient ailleurs comme s'ils voyaient des choses à des millions de milles de cet endroit. Je me suis dit qu'il était complètement déconnecté de la réalité et qu'il n'avait pas assez de cervelle pour savoir ce qu'il faisait.

Je n'ai pas dit un mot. J'en avais peur. Il n'a plus rien dit, lui non plus, mais il a fixé ses yeux sur son bras droit. J'ai suivi son regard. Soudain, il a tendu les biceps, et le tatouage entier s'est mis à vivre. Le crâne a semblé s'agiter et sourire et claquer ses dents parfaites. J'ai regardé, médusé. Je n'avais jamais rien vu de pareil. Il a répété la performance une demi-douzaine de fois, comme un chien qui exécute ses meilleurs tours. Il a soudain penché sa tête tout près de la mienne comme s'il allait me confier un secret et — c'est la pure vérité — il m'a grogné après. Comme un animal sauvage. J'ai sauté en l'air. Il a relevé la tête et il a ri. Ce rire était plus épouvantable que le grognement. Je me suis mis à reculer, et j'ai presque frappé un autre gars.

Celui-là aussi était immense. Les gens de plus de deux cents livres aboutissent-ils automatiquement en prison, dans cette ville? Il y avait une différence entre les deux bouffis. Le rouquin, c'était du muscle. Celui-ci, c'était de la graisse.

— Prends pas de chances avec lui, a-t-il soufflé. C'est un animal dangereux.

Le gros mou a gagné un matelas et s'y est assis.

— Viens ici, le jeune, qu'il a dit en souriant. (Il avait assez de dents pour compenser pour celles qui manquaient à l'animal. Et il n'avait pas l'air aussi grognon.)

Espérant qu'il ne mordait pas, je me suis approché.

— Je m'appelle Silk, qu'il a dit, et, déjà, ce murmure ronronnant me tapait sur les nerfs.

Je ne lui ai pas dit mon nom. Je ne savais même plus, rendu là, qui j'étais vraiment.

— C'est ta première fois ici?

J'ai acquiescé et il a ajouté, tout sourire:

— C'est pas facile de s'habituer.

Plus il souriait, moins je lui faisais confiance.

— Assis-toi, qu'il a dit, en se poussant pour me faire place. (Il m'a examiné longuement. Trop longuement.) Tu sais, mon jeune, faut être très prudent dans un endroit comme ici. Avec des gars comme l'Animal autour, tu risques d'être blessé. Comprends-tu ce que je te dis?

Je ne l'écoutais plus. Je venais de découvrir le quatrième occupant de la cellule, qui vomissait bruyamment près de la toilette, dans le coin. J'ai appuyé la tête contre le mur et fermé les yeux. J'étais en prison avec un gorille psychotique, un ivrogne qui dégobillait sur ses bottes et un commis-voyageur obèse qui parlait sans arrêt. Il me proposait même un pacte.

— Tu m'épaules et je te protège contre lui.

Avant que j'aie eu le temps d'y comprendre quelque chose, il avait entouré mes épaules de son gros bras gras, comme s'il me possédait déjà. C'est là que j'ai vu clair dans son jeu. Il voulait me protéger? L'écœurant! Qui me protégerait contre lui?

Tremblant de peur et de colère, conscient que je venais d'être effleuré par quelque chose de gluant et d'empoisonné, je me suis arraché à sa poigne.

— Touche-moi pas, maudit galeux! ai-je crié, la voix enrouée, en me levant pour m'éloigner de lui. Tiens-toi loin.

Silk s'est redressé sur ses pieds et sa grosse face molle est devenue méchante.

— T'aurais pas dû faire ça, bébé. Je peux être un bien bon ami ou un bien bon ennemi. Comme c'est là, je vais être obligé de t'apprendre à me respecter.

Il s'est avancé vers moi. J'ai reculé d'un pas. Et d'un autre. Puis, j'ai senti le béton froid du mur contre mon dos.

La grosse main de Silk s'est levée et m'a frappé si vite que je ne l'ai même pas vue venir et si fort en travers de la bouche que ma tête a revolé. Du sang chaud au goût amer s'est mis à couler des commissures de mes lèvres jusqu'à mon menton. En moins d'une seconde, comme une fusée à retardement, tout ce qui m'était arrivé récemment s'est déroulé dans mon cerveau: la mort de grand-maman, les problèmes, l'école, Laura, l'épisode avec Shooter, ce soir... et maintenant ça!

J'ai essuyé mes lèvres du revers de ma main, regardé le sang qui la décorait, et là j'ai explosé. J'ai bondi loin du mur comme un chat sauvage et je suis tombé sur Silk à bras raccourcis. Je visais son ventre, son gros ventre mou comme celui du petit bonhomme Pillsbury. Il m'avait frappé: il paierait pour ça.

J'ai placé trois ou quatre bons directs et, a chacun, je l'ai senti se dégonfler comme un ballon qui se fend. Pendant une couple de secondes, j'ai même cru que je le descendrais.

Je ne m'étais pas méfié de sa corpulence. Malgré son embonpoint, il était fort. Il a soudain entouré ma taille de ses mains boudinées, m'a ramassé haut sur mes pieds et m'a lancé à travers la cellule. Mon dos a frappé la porte bardée d'acier avec un tel tapage que les passants, dans la rue, ont dû l'entendre. Ils m'ont probablement entendu crier, aussi. Quand j'ai frappé ces barres, il m'a semblé que tous les os de mon corps se brisaient. J'ai rebondi et je me suis étampé sur le sol, complètement soufflé. Mon cerveau me criait de me relever, mais mon corps refusait d'obéir.

À quoi bon? Les mains de Silk se refermaient déjà autour de mon cou et commençaient à serrer. J'ai tenté de me débattre, mais mon corps ne répondait plus. Le monde s'est refermé, pour moi, à la grandeur d'un écran de télé, où je ne voyais plus que les yeux de reptile souriant de Silk et ses mains blanches autour de mon cou.

— Je vais te tuer! murmurait à mon oreille sa voix fuyante.

L'écran de télé rapetissait. Il disparaissait presque dans une chaude brume rouge, et je savais que Silk disait vrai.

Il y a eu soudain un grondement qui a semblé ébranler les murs de béton. J'ai entrevu des cheveux rouges et des bras tatoués.

— Lâche-le, a rugi l'Animal en laissant choir ses trois cents livres sur Silk.

Deux des taureaux de Laura, en se colletaillant, n'auraient pas fait plus de boucan. Ils sont tous les deux tombés au plancher. Non, pas tout à fait. Entre eux deux et le plancher, il y avait moi. L'impact a arraché les mains de Silk de ma gorge et m'a enlevé le peu de souffle qui me restait. Juste à ce moment-là, les lumières se sont éteintes.

J'entendais vaguement, si loin qu'il ne semblait pas que j'aie à m'en préoccuper, des voix qui criaient des menaces et des jurons. Il y a eu des bruits de casse, mais j'étais trop sonné pour que ça me touche. Tant que je resterais dans cette zone sécurisante, je serais sauvé.

Puis, il y a eu de nouvelles voix, fortes, pleines d'autorité et, graduellement, les clameurs se sont tues. La porte de la cellule s'est ouverte et quelqu'un s'est penché sur moi.

— Eh, Matthews, a dit une voix près de mon oreille. Vaudrait mieux sortir celui-là et l'examiner. Il est peut-être gravement blessé.

«Celui-là»? J'avais repris conscience et je savais qu'il parlait de moi. Comme d'un chien ou d'un cadavre. Le gars aurait pu au moins m'appeler par mon nom.

Une main a touché mon cou, cherchant mon pouls. Allez, les gars, un peu de sérieux, voyons. Je suis peut-être un peu amoché, mais pas mort. Puis, la main a descendu sur mon épaule et s'est mise à la secouer. J'ai reconnu la manière. Ce bon vieux Matthews!

— Angus! qu'il a dit, bien fort. Réveille-toi, Angus!

J'ai ouvert les yeux et je l'ai regardé. Qu'est-ce qui lui prenait, à ce gars-là? J'avais été assommé, mais c'est lui qui perdait la boule. Le seul Angus de mes connaissances, c'était le taureau noir de Laura.

J'ai murmuré: «Quoi?» d'un ton ahuri, mais, d'un seul coup, la brume s'est dissipée dans ma tête et je me suis souvenu. Angus! J'ai poussé un gémissement.

— Prends ça *cool*, le jeune, a dit un autre policier en me tâtant pour vérifier si toutes mes articulations fonctionnaient. Ça fait mal?

J'ai marmonné «Oui». Se réveiller en se rendant compte qu'on s'est soi-même nommé Angus, ça faisait vraiment mal.

Ce flic-là — le caporal Vinelli, comme l'indiquait son insigne — a finalement décidé que j'étais réparable, et Matthews m'a tiré hors de la cellule et assis sur une chaise dans le bureau au fond de la pièce.

Vinelli a tiré un nécessaire de premiers soins d'une armoire et s'est mis à tamponner ma lèvre en sang avec un antiseptique que Laura aurait aimé. Ça brûlait en démon.

J'ai éloigné la tête.

— Lâchez-moi, que j'ai dit, en faisant mon brave. (J'avais plutôt l'air au bord des larmes.)

Vinelli a repris mon menton dans sa poigne solide et tamponné comme si de rien n'était.

— À part la lèvre, fiston, comment tu te sens? As-tu besoin du docteur, tu crois?

— Non, pas besoin du docteur.

J'ai secoué la tête avec impatience et mon menton a été redressé pour la deuxième fois.

Ce que je peux être stupide! Si j'avais fait semblant d'être à moitié mort, j'aurais pu être mis dans un hôpital douillet, comme Keith avec son nez qui saignait. Mais, voilà, je n'ai pensé à ça que trop tard.

Le flic a fini son numéro d'infirmière, a collé un diachylon en travers du coin de ma bouche et a lâché mon menton. Puis, il a tiré une autre chaise et s'est assis. Gentiment, il a demandé.

— Alors, là, tit-gars, qu'est-ce qui s'est passé au juste, là-bas?

Je l'ai regardé. Il était différent de Matthews. Il avait l'air presque humain. Si je lui disais la vérité, peut-être qu'il me croirait?

J'ai pris une grande respiration et je me suis préparé à raconter. Mais les mots ne me sont pas venus parce qu'une vision soudaine des yeux froids de Silk m'a traversé le cerveau. Qu'arriverait-il si je disais tout à Vinelli, qu'il donne de la merde à Silk et qu'il me remette en cellule avec lui? La prochaine fois, Silk me tuerait, surtout s'il découvrait que je l'avais dénoncé aux flics. J'ai regardé mes ongles. Ils étaient sales. Et j'ai marmonné:

— Rien.

Il y a eu un long silence. Quand j'ai finalement levé les yeux, Vinelli a hoché la tête.

— Bon, s'il ne s'est *rien* passé, j'espère bien être à la retraite avant qu'il se passe *quelque chose*, par ici.

Avant que lui ou moi ayons pu dire autre chose, Matthews était de retour et me faisait signe de me lever.

— Allez, Angus, tout est sous contrôle. On y va.

Je me suis levé en chambranlant. Les yeux de Vinelli se sont posés sur Matthews, puis sur moi, et de nouveau sur Matthews.

— Tu vas vraiment le remettre là-dedans?

Matthews a haussé les épaules.

— Pas le choix. On dirait qu'il y a eu des rixes dans tous les bars, cette nuit. Tout est plein. Il a dix-huit ans, alors qui va casquer si on le met avec les juvéniles? Qu'est-ce que tu veux que j'en fasse? L'emmener chez moi pour jouer à la gardienne?

Vinelli n'a pas perdu sa salive à lui répondre. Il a seulement hoché la tête et m'a jeté un dernier regard, désolé, puis il s'est éloigné.

Matthews m'a ramené à la cellule.

— Nous y voilà, Angus, qu'il a dit, avec un sourire désagréable. Tu es chez toi.

Il a pris tout son temps pour déverrouiller la porte. Je suis resté à attendre, en regardant les gars à l'intérieur.

L'ivrogne vomissait de nouveau — il ne s'était pas rendu à la toilette à temps, cette fois. Animal était appuyé au mur, les bras croisés sur la poitrine, fixant le vide. Et Silk était assis sur son lit, tenant une serviette de papier contre son nez qui saignait encore un peu. Il m'a regardé comme l'aurait fait un serpent affamé devant un lapin pris au piège.

Je me suis senti perdu. Je ne pouvais pas retourner là-dedans. Il fallait que je m'en aille. Laura? Non. Pas Laura. Je m'étais foutu dans le pétrin. À moi de m'en sortir. Si tu ne supportes pas la chaleur, tiens-toi loin du poêle.

Matthews m'a jeté un regard amusé.

— Qu'est-ce qu'il y a, Angus? a-t-il demandé, moqueur. Tu viens de penser à quelque chose que tu voudrais me dire?

Tout d'un coup, le caporal Steiger n'était plus le numéro un sur ma liste de personnes avec lesquelles je ne voulais pas me retrouver sur une île déserte. Matthews le surclassait de plusieurs têtes. J'ai répondu en crachant mes mots, furieux:

— Oui. J'ai bien des choses à vous dire. La première, c'est d'aller vous...

Le sourire de Matthews s'est changé en grimace.

— Entre là-dedans, face de rat! qu'il a dit en me saisissant aux épaules et en m'imprimant une poussée.

Il refermait tout juste la porte quand un autre policier a surgi.

— Eh! pas si vite, Matthews. Ça ne serait pas le jeune dont tu doutais de l'identité dans l'affaire de l'entrée par effraction au magasin de la régie?

— Oui, a dit Matthews. Et puis, après?

— J'ai là une dame qui m'a décrit un jeune fugueur. Ça pourrait bien être lui.

Mes genoux ont soudain eu du mal à me porter: panique ou soulagement? Allez donc savoir! C'était peut-être... est-ce que ça ne pouvait pas être...?

— J'ai la déclaration de celui-ci, a dit Matthews, ses yeux sur mon visage, guettant mes réactions. Ce n'est pas un mineur et son nom c'est Angus Young.

— Oh, bon, a dit l'autre flic. On cherchera ailleurs, alors.

Il s'est tourné pour partir.

— Je ne m'appelle pas Angus — les mots sont sortis malgré moi, je n'avais pas l'intention de les dire. Je m'appelle Manuel Jamieson, et j'ai quinze ans.

Le flic a vérifié sur son papier.

— Bingo! qu'il a dit.

18

Nous avons regagné le vrai monde, là où les gens ne sont pas dans des cages. Laura était là, qui arpentait la pièce de long en large comme un cougar en captivité. Elle nous tournait le dos mais, quand elle a entendu la porte s'ouvrir, elle a pivoté pour nous envisager et, dret là, j'ai presque fait volte-face pour retourner à la cellule. Je ne lui avais jamais vu cette expression auparavant. À voir sa mâchoire durcie et les plis de tension autour de sa bouche, on devinait qu'elle était bouleversée.

Je savais qu'elle allait me tomber dessus comme une tonne de briques et je l'ai défiée du regard. «Allons-y, Laura, et qu'on en finisse.»

J'ai pris mon mal en patience et attendu qu'elle se mette à me crier après. Qu'au moins mes mains cessent de trembler!

Elle a marché vers moi. Était-elle assez fâchée pour me frapper? Je me le suis demandé, en résistant au désir de reculer d'un pas. Et puis, soudain, son visage s'est adouci. Avant que j'aie pu deviner ce qui se passait, elle m'avait enveloppé de ses bras et me serrait contre elle à me briser.

— Man, ça va? qu'elle a demandé, la voix inquiète, en me tenant toujours aussi serré.

Personne ne m'avait tenu comme ça depuis bien longtemps. Pas depuis...

— Oui, je...

J'avais commencé ma phrase, mais je ne l'ai jamais terminée. Parce que je pleurais. Manuel Jamieson, le gars le plus coriace de Crossing, pleurait toutes les larmes de son corps, debout au centre du poste de police de Calgary sur l'épaule de Laura McConnell, devant un tas de flics. Et je ne venais pas à bout de m'arrêter. Toutes ces larmes s'étaient amassées en moi depuis si longtemps.

— Ça va aller, Man, c'est fini, disait Laura, qui me tenait toujours serré et qui me tapotait l'épaule comme on le fait à un bébé ou à un petit chat. (C'était si bon!)

«Pourquoi vous ne m'avez pas giflé, Laura? ai-je pensé, lamentable, en me forçant pour relever la tête et échapper à son étreinte. Si vous m'aviez grondé, je n'aurais pas pleuré.»

— Viens par ici, le smatte, s'est interposé Matthews, sarcastique, en m'imprimant une poussée vers la porte ouverte d'un bureau. Tu as encore beaucoup d'explications à donner avant de pouvoir retourner à la maison, à ton lait et à tes biscuits.

«Grand merci, Laura», que j'ai pensé, amer, en m'essuyant les yeux du revers de ma manche et en la suivant dans le bureau...

Ce qui s'est passé ensuite au poste de police reste flou pour moi. Matthews nous a tenus là à répondre à ses questions stupides pendant plus d'une heure. Je ne me souviens même plus de la plupart de celles-ci. Je sais que Laura lui a montré mon certificat de naissance ou, enfin, ce que ça prenait pour qu'on se débarrasse d'Angus Young et qu'on retrouve Manuel Jamieson. J'ai répondu à beaucoup d'autres questions et dit la vérité cette fois. Quelqu'un était finalement venu à bout d'interroger Ronnie et Shooter à l'hôpital et ils appuyaient mon témoignage à l'effet que Keith et moi avions simplement fait de l'auto-stop avec eux.

Après ça, Matthews a paru avoir épuisé tous les prétextes qu'il avait de me faire chier. Mais il a consulté ses notes une fois de plus, et quand il a relevé des yeux accusateurs, c'est Laura qu'il regardait cette fois, pas moi.

— Il y a juste une chose ici que je m'explique mal, madame McConnell, qu'il a dit, pointilleux.

Laura tenait sa tête à deux mains, aussi fatiguée que moi. Elle a dit:

— Oh! Qu'est-ce que c'est?

— Bien, nous avons confirmé le fait que lui et son copain rentraient chez eux d'un concert rock, ici, en ville, sur une moto qui s'est brisée. À titre de gardienne de euh... Manuel (il prononçait mon nom comme s'il n'était pas trop sûr que je ne l'aie pas volé quelque part) vous avez permis à un gars de quinze ans d'aller en moto dans une ville à soixante-quinze milles de chez vous et de rentrer après minuit sur une autoroute à la circulation très dense.

Le cœur m'a levé. C'est foutu, que je me suis dit. Maintenant, Laura lui apprendra que je suis parti sans sa permission. Il vérifie auprès des services sociaux et je suis mort ou, tout au moins, dans un centre de détention. J'ai regardé Laura, mais ses yeux ont refusé de croiser les miens.

Elle a dit:

— Pourquoi le lui aurais-je refusé? Manuel est assez vieux pour être responsable de ses actes.

J'en suis presque tombé à la renverse. Laura, la vieille Laura franche comme l'or, venait, pour m'épargner, de mentir — enfin, bon, pas vraiment avec des mots, mais ce que Matthews a compris n'était pas la vérité.

Matthews m'a jeté un regard dégoûté et a riposté.

— Eh bien! madame McConnell, si c'est comme ça que vous jouez votre rôle de gardienne, j'espère qu'on ne vous confiera jamais mes enfants.

Elle lui a jeté son regard de professeur et, polie comme c'est pas possible, elle a dit:

— Je l'espère bien, moi aussi, sergent Matthews.

Il a finalement laissé tomber. Dix minutes plus tard, nous marchions dehors dans l'air frais de la nuit, Laura et moi.

J'en ai aspiré de grandes bouffées, comme si je ne pouvais en avaler assez. J'avais le goût d'enlever mes vêtements et de plonger dans cette nuit pure et propre comme dans une mare d'eau claire dans laquelle me laver de toute trace de cette prison.

J'ai regardé le ciel gris. La pluie avait cessé et un mince croissant de lune brillait. C'était comme si, en étendant les doigts, je pouvais le toucher. J'aurais voulu le prendre à pleines mains pour m'assurer qu'il était réel. Pour m'assurer que j'étais vraiment dehors. Que je ne rêvais pas et que je ne me réveillerais pas derrière ces grilles où la seule lune qui brillait était une ampoule électrique qui ne dormait jamais.

Je suis resté là longtemps. Laura n'a pas dit un mot. Elle m'a attendu et m'a demandé, à la fin:

— Tu veux m'en parler?

J'ai secoué la tête.

— Vous n'aimerez pas ça.

— C'est probable.

Nous avons traversé à pied, en diagonale, l'aire de stationnement, pour regagner la camionnette. Je me suis arrêté de nouveau.

— Pourquoi vous avez fait ça, Laura?

Elle m'a regardé.

— Fait quoi?

— Vous savez bien. Venir jusqu'ici en pleine nuit et répondre de moi. Couvrir ma fugue. Tout ce que je vous ai donné, c'est du trouble. Pourquoi vous n'avez pas profité de l'occasion pour me jeter en pâture aux loups et vous débarrasser de moi?

Laura est restée silencieuse un long moment. Puis, elle a dit:

— J'ai rencontré un éleveur de chevaux du Montana ce soir. Il a vu Smoke, il y a deux mois, quand il est passé par ici et j'ai l'impression que ce cheval lui a plu. Il m'a offert cinq mille dollars pour me débarrasser de cette tête folle.

Elle s'est arrêtée, songeuse.

— Je n'ai pas vendu le vieux Smoke non plus.

C'était là ma réponse, j'imagine, parce que Laura s'est remise à marcher.

— Viens. Ton frère devrait être au lit depuis longtemps.

— Vous avez emmené Tyler?

J'étais étonné. Laura a ri.

— C'est plutôt lui qui m'a emmenée. Il m'a éveillée à deux heures du matin. Il était aux abois.

Je me suis senti coupable. J'avais fait promettre à Tyler de ne rien dire. Et le petit prenait ses promesses au sérieux. Une autre pensée m'est venue. Comment avait-elle deviné que j'étais en prison? Tyler n'en savait rien.

Laura a ri en secouant la tête.

— Dix minutes après qu'il m'a dit où tu étais allé, Mme Carol Ericsson m'a abreuvée d'injures au téléphone.

— La mère de Keith vous a prévenue de l'endroit où j'étais?

— Pas exactement. Elle m'a appelée pour me faire part de son opinion — qu'elle aurait dû garder, parce qu'elle n'en a pas de trop — parce que je t'avais laissé, avec ta mauvaise influence, corrompre ce pauvre Keith. Elle m'a crié par la tête pendant une demi-heure. Dans son flot de paroles, j'ai compris que tu étais en prison et qu'elle trouvait que c'était tout à fait l'endroit qui te convenait.

— Vous l'avez crue? Que j'avais une mauvaise influence sur Keith?

— J'ai eu le plaisir d'enseigner à Keith, a dit Laura, le sourire en coin. (Ce n'était pas une réponse, mais ça disait tout.)

Nous étions arrivés à la camionnette. La lumière du lampadaire brillait sur les cheveux de Tyler, affalé, endormi, près de la portière du passager. Il avait l'air si jeune, comme un orphelin, on aurait dit. «Félicitations, Man, que je me suis dit. C'est ça qu'il est. Tu es toute sa famille.»

Laura a ouvert la portière du chauffeur.

— Entre par ici. Il ne s'éveillera peut-être pas.

Je me suis glissé le long du siège le plus doucement possible, mais Tyler a levé la tête. Il a cligné des paupières comme s'il ne savait trop où il était. Puis, ses yeux se sont posés sur moi et sa figure s'est illuminée.

— Man! qu'il a dit, en m'examinant. Qu'est-ce qui t'est arrivé, donc?

— C'est une longue histoire, a coupé Laura, la voix douce. Il te la contera une autre fois. Rendors-toi, Tyler. La route est longue jusque chez nous.

Elle a mis le moteur en marche et a roulé dans une rue tranquille. Tyler m'a regardé et a dit, confus:

— Man, je regrette. Je n'ai pas pu m'en empêcher. Il a fallu que je le dise. J'étais tellement inquiet.

Je lui ai souri en lui ébouriffant les cheveux.

— Je comprends, Tyler. Pas de problème. Je suis content que tu l'aies fait.

— Content?

— Oui.

Cinq minutes plus tard, il dormait, sa tête sur mon épaule. J'aurais voulu pouvoir dormir, moi aussi, mais il me restait une autre chose à régler et ça ne me tentait pas.

— Laura?

— J'écoute.

— Je vous dois vingt-cinq dollars.

Silence.

— Je les ai... pris... dans l'armoire.

— Ah!

— Vous le saviez déjà?

Pas de réponse.

— Je vous rembourserai, si jamais j'ai les sous pour le faire.

— T'inquiète pas, tu me rembourseras en travaillant pour moi.

Était-ce une menace ou une promesse? Les deux, à ce qu'il m'a semblé.

19

Je me suis éveillé le soleil dans les yeux. J'ai pensé, tout engourdi, qu'il devait être tard, et j'ai regardé ma montre. Il était dix heures dix-huit. Laura m'avait laissé dormir. J'ai regardé le lit de Tyler. Il était vide et retapé. J'ai entrepris de m'asseoir. Ayoye! J'avais mal partout.

Puis, je me suis souvenu de ma nuit. J'aurais voulu l'oublier, celle-là. Oublier tout ce que j'y avais vécu et faire semblant que c'était un mauvais rêve. J'ai refermé les yeux, mais c'était une erreur. Je voyais toujours Silk et son sourire démoniaque dans le noir.

J'ai serré les dents et je me suis traîné hors du lit et jusqu'au miroir pour voir si j'avais l'air aussi à plat que je me sentais. Oui. Ma lèvre avait enflé et j'avais les yeux d'un ivrogne en brosse depuis deux semaines. J'avais mal partout, mais c'est mon dos surtout qui était douloureux. Je me suis tourné et je l'ai regardé dans le miroir.

Eh bien, je n'avais pas rêvé le moment où j'étais lancé à travers la cellule. Trois longues meurtrissures pourpres tirant sur le vert marquaient mes épaules, espacées comme l'étaient les barreaux. Plutôt impressionnant — quand on aime avoir l'air d'un zèbre. L'idée m'est venue que, si l'angle avait été juste un peu différent, j'aurais frappé ces barreaux tête première plutôt que de dos. D'imaginer ma cervelle décorant la prison de Calgary m'a dégrisé net.

Je me suis finalement rendu à la cuisine. Personne n'était à la maison. Quel grand projet Tyler et Laura pouvaient-ils avoir, pour aujourd'hui? Et pourquoi Laura ne m'avait-elle pas traîné là-bas, à travailler pour mes vingt-cinq dollars, comme elle l'avait promis? J'ai pensé qu'elle se ramollissait. J'aurais dû me méfier.

Je me servais une tasse du café empoisonné de Laura — ce qu'il en restait — quand Tyler est arrivé à la course.

— Eh, Man! qu'il a dit, les yeux brillants et les cheveux emmêlés en tirant le lait du réfrigérateur pour s'en servir un verre. À peu près temps que tu te lèves. Devine quoi?

Il a tiré une chaise qu'il a chevauchée comme s'il voulait la dompter.

— Quoi?

— Laura et moi, on a repris Smoke. Elle va lui rogner les sabots aussitôt que je lui aurai apporté ses gants.

Il a avalé le lait en deux gorgées et a marché vers la porte.

— Tu ne viens pas voir ça?

J'ai failli dire non. Je n'avais pas le goût d'aller où que ce soit pour voir des choses et, après ma nuit, je ne voulais pas faire face à Laura avant un an ou deux. Mais la curiosité m'a gagné. Après tout ce que j'avais entendu au sujet de Smoke, il me fallait le voir de près. Je doutais qu'il soit aussi spectaculaire que Tyler le prétendait. Quand je l'ai vu, j'ai compris.

Il a trotté vers nous à travers le corral, le cou tendu, sa crinière noire et sa queue flottant derrière lui comme des bannières dans le vent, et ses flancs bleu argent luisaient comme le canon poli d'un fusil. Je n'avais jamais rien vu d'aussi beau de ma vie. Mais ce n'est qu'une heure plus tard environ que j'ai su que je l'aimais.

Il a laissé Laura le capturer pendant que je restais là à le regarder. Laissé: le mot est juste. Rien qu'à le voir, la tête haute, les yeux fixés par-dessus elle sur les champs lointains, j'ai eu l'impression que, si jamais Smoke décidait qu'il ne se plierait pas aux lois, il ne s'y plierait tout simplement pas.

En fait, il a décidé qu'il n'allait pas laisser rogner ses sabots. Ça n'avait pourtant pas trop mal commencé. Tyler tenait le licou pendant que Laura soulevait la patte gauche antérieure, la maintenait entre ses genoux et coupait les bords ébréchés avec une paire de grosses cisailles.

Elle avait presque terminé quand un groupe de juments et de poulains a surgi au galop du fond du pré. Ça a suffi. Smoke a poussé un hennissement retentissant, s'est cabré et a arraché sa patte à Laura.

— Arrête, Smoke, qu'elle a commandé, en lui donnant une tape sur le poitrail avec la paume de la main. T'occupe pas des autres chevaux. C'est à *moi* que tu portes attention, maintenant.

Smoke n'était pas d'accord. Chaque fois qu'elle essayait de reprendre sa patte, il se libérait et se rapprochait de la clôture pour pouvoir mieux regarder de l'autre côté. Après cinq essais infructueux, Laura s'est fâchée.

— Tant pis, Smoke, tu l'auras voulu.

Elle a saisi un long bout de corde épaisse mais souple et l'a enroulée pas trop serré autour du ventre de Smoke comme une sangle. Puis, elle a fait une boucle et l'a passée autour de la patte droite antérieure et a enfilé le bout de la corde dans la boucle. Smoke n'avait plus le choix. La patte s'est levée et Laura l'a attachée. J'ai eu l'impression que le cheval n'aimerait pas ça. J'avais raison. Quelques secondes plus tard, il a henni, remué avec impatience et essayé de mettre sa patte à terre. C'est là que le diable a été aux vaches. Il a poussé un cri perçant, henni et est retombé sur les genoux. Mais ça ne l'a pas arrêté. Même sur trois pattes, il s'est relevé aussitôt, luttant, criant, retombant. Laura s'était reculée et le regardait faire sans s'énerver. J'avais peine à le croire. Ce cheval, elle l'aimait, pourtant.

Après la quatrième chute, je me suis tourné vers elle, irrité:

— Il va se tuer.

— Peut-être.

— Alors, pourquoi est-ce que vous...

— Man, tu en as encore long à apprendre sur les chevaux. Le vieux Smoke, là, a de la fierté et de l'endurance. C'est ce qui fait les bêtes de prix, ce qui le gardera en lice quand tous les autres chevaux auront abandonné. Il a aussi un petit côté rebelle et un très mauvais caractère qui en feraient un animal sauvage sans foi ni loi. Ça ne lui fait pas mal qu'on rogne ses sabots. Pas peur, non plus. Il se débat pour le plaisir. Tant qu'il ne se sera pas soumis, il restera un danger pour lui-même et pour son entourage. Il serait mieux mort.

Elle s'est interrompue, a repoussé une mèche folle et m'a jeté un long regard appuyé. Je me suis détourné.

Smoke avait finalement abandonné la lutte. Il restait là, baigné de sueur, saignant d'une longue balafre sur son flanc, tremblant. Laura a marché jusqu'à lui et lui a caressé la tête en demandant doucement:

— On recommence, Smoke?

Il n'a pas bougé pendant qu'elle détachait la corde autour de sa patte. Elle m'a tendu la sangle cette fois. Je l'ai tenue lâche, espérant presque que le rebelle se révolterait de nouveau. Il n'en a rien fait.

Laura a rogné les trois autres sabots sans qu'il proteste.

Cela fait, elle a retiré la sangle, a donné à Smoke quelques poignées de grain et l'a laissé aller. Pendant un moment, il est resté là à la regarder s'éloigner. Puis, d'un coup, il a penché la tête, a lancé un hennissement de défi et a fait le tour du corral deux fois en se cabrant, en lançant des ruades et en occupant tout l'espace. J'ai vu Laura regarder par-dessus son épaule et rire. Je n'ai pas pu m'empêcher de rire, moi aussi.

— Tiens bon, Smoke! que j'ai crié. Ne la laisse pas te dompter.

Et dret là, j'ai su que même s'il ne m'appartenait pas, le Doc's Smokin'Joe était mon cheval. Nous étions pareils.

20

Les deux jours qui ont suivi ont été plutôt tranquilles. Je veux dire: sans histoire, pas sans besogne. Laura nous a tenus occupés à des choses aussi excitantes que réparer les corrals et sarcler le jardin. Je faisais ce qu'elle m'ordonnait, mais je détestais ça. Ce que je détestais surtout c'est que je payais ma dette. Elle n'avait rien dit à propos de ma nuit à Calgary. J'étais certain qu'elle n'en parlerait jamais, non plus. Mais ça ne voulait pas dire qu'elle l'avait oubliée. Et que moi, je l'oublierais jamais.

Un matin, Tyler m'a éveillé en me secouant et en me criant dans les oreilles.

— Viens vite, Man, il faut qu'on se dépêche. Laura est déjà dehors, à préparer les chevaux.

J'ai ouvert un œil réticent.

— Préparer les chevaux pour quoi?

— On va marquer, aujourd'hui. Laura dit qu'il est grand temps de le faire et que ça se fera aujourd'hui.

— Marquer quoi? j'ai dit en bâillant.

— Qu'est-ce que tu penses? Les veaux, bien sûr. Tu sais, rassembler le bétail, séparer les veaux de leurs mères, les attraper au lasso, les...

J'en étais fatigué juste à l'entendre. J'ai ouvert l'autre œil.

— Hourra! que j'ai émis faiblement.

Tyler a continué sur sa lancée.

— Et Laura dit que je peux aider à les coucher sur le flanc.

Je me suis assis à demi.

— Quoi? Ils sont malades? ai-je demandé, en jouant l'idiot, juste pour agacer mon petit frère.

Ça a marché. Il a levé les yeux au ciel et, de ce ton découragé qu'emploient souvent les profs, il a dit:

— Man, tu ne feras jamais un cow-boy.

— Quel dommage! J'en rêvais!

Il s'est rendu compte que je me moquais de lui et m'a lancé un coup de poing amical.

Il a manqué sa cible et s'est affalé sur le lit à côté de moi. Il s'est appuyé sur le coude et s'est mis à m'expliquer comment les ranchers s'y prennent:

— Pour marquer les veaux, il faut d'abord les attraper. De ton cheval, tu lances le lasso sous leurs pattes postérieures et tu les amènes aux gars qui attendent à terre. Toute une technique. Faut que tu laisses tomber la boucle là où le veau va mettre les pattes la seconde d'après. Ça prend un gars avec beaucoup d'adresse.

— Comme toi, hein? ai-je dit, juste pour voir sa réaction. (La première chose qu'il a faite, ça été de regarder le plancher comme si c'était très intéressant. Même si je ne voyais pas sa figure, j'ai remarqué que ses oreilles avaient rougi.)

— Oui. Laura dit que je suis plutôt bon. (Pour Tyler, ce que Laura dit, c'est la vérité vraie.)

La minute d'après, il était à la porte et me lançait en s'en allant:

— Laura fait dire qu'elle a un boulot pour toi, si tu t'en sens capable.

Si je m'en sentais capable?... Elle l'avait, l'affaire, Laura. Elle me connaissait comme si elle m'avait tricoté. Jamais je ne reculerais devant un défi présenté de cette manière. Je mourrais plutôt. Elle se préparait à collecter ce que je lui devais. Je me suis redressé et j'ai lâché:

— Tu peux dire à Laura que peu importe de quoi il s'agit, je me sens de taille. Et puis quoi, elle veut que je suive les vaches avec une pelle pour garder le corral propre?

Tyler a levé les yeux au ciel puis m'a tapé un clin d'œil.

— Tout à fait ton genre, Man.

Il s'est échappé avant que je lui tombe dessus.

Ma première besogne a été d'aider à rassembler le troupeau. On s'y est mis tous les trois. Laura avait aligné une équipe pour nous aider à marquer les bêtes, mais elle dit que trop de monde énerve les veaux quand on essaie de les rassembler. Tyler montait Chance. Je devais me contenter de Chef, comme d'habitude et, quand Laura est sortie de l'écurie, elle menait Smoke lui-même, sellé et bridé. Je ne savais pas qu'il acceptait de porter cavalier. J'en ai passé la remarque.

Laura a ri.

— Il ne le sait pas encore lui-même, mais il est devenu presque contrôlable. Les veaux lui apprendront le reste.

Ça restait à voir.

C'était tout vu: on pouvait monter l'étalon si on s'appelait Laura et qu'on était aussi entêté et aussi tête de mule que lui. À eux deux, ils se sont frayé tout un chemin dans les broussailles pendant qu'on fouillait les bois pour trouver le troupeau. De temps en temps, ils parvenaient à diriger un veau vers le point central, mais Tyler et moi avons accompli le plus gros du travail. J'ai enfin trouvé quelque chose à quoi Chef excellait: le rassemblement des bovins. Il en savait bien plus que moi là-dessus.

Quand on a finalement poussé la dernière bête dans le grand enclos, plusieurs voisins de Laura étaient perchés sur la clôture, à l'attendre. Les marqueurs étaient prêts. Elle leur a fait de grands gestes de la main en leur criant bonjour, puis elle s'est laissé glisser au bas de son cheval pour fermer la barrière.

Le vieux Smoke était en nage et à bout de souffle d'avoir couru sur une distance au moins trois fois plus longue qu'il n'aurait été nécessaire, à cause de ses nombreux sparages. Il labourait le sol d'un sabot impatient, prêt à repartir.

— Tiens-toi tranquille, grand fou, lui a dit Laura, avec une caresse affectueuse à son naseau humide de sueur.

J'ai remarqué qu'elle était aussi essoufflée que lui. Il avait dû y mettre le paquet, là-bas, dans les broussailles.

Elle n'a pas refermé la barrière, mais est plutôt restée à côté, la maintenant à demi-ouverte et elle m'a dit:

— Maintenant, Man, tu es sur le cheval de tête. C'est toi qui rabats les bêtes vers nous.

Je l'ai regardée, abasourdi.

— Moi? Mais je ne connais rien à ça. Faites-le vous-même.

Laura a ri et a donné une claque amicale à l'encolure de Smoke en protestant:

— Pas sur ce bébé-là. Le vieux Smoke a assez vu de vaches pour aujourd'hui. Il s'est tellement dépensé qu'il passerait probablement les veaux par-dessus la clôture au lieu de les mener vers la barrière.

Tyler arrivait au trot sur Chance et Laura a intercepté le regard que je lançais de son côté.

— Chance n'a pas été dressé pour le rabattage. Alors c'est à toi et à Chef de jouer.

Voyons, ça n'avait pas de bon sens. Comment est-ce que je pourrais faire quelque chose que je ne comprenais même pas. Du coin de l'œil, j'ai vu l'équipe de marqueurs s'avancer pour mieux se rendre compte ce qui se passait. Tout un spectacle pour ces gars-là que de voir le délinquant favori de Laura se couvrir de ridicule.

J'ai tendu les rênes de Chef à Laura.

— Prenez-le, vous.

Elle n'a pas voulu. Repoussant son chapeau de la main, elle m'a jeté un regard de mépris.

— Qu'est-ce qui se passe, Man? Tu as peur de manquer ton coup?

Ça recommençait. Elle me manipulait en tablant sur mon orgueil. Je voyais clair dans son jeu, mais je mordais quand même à l'hameçon. Je bouillais littéralement quand j'ai pivoté sur ma selle.

— Non Laura. Je n'ai peur de rien. (En me souvenant de ma performance dans la prison de Calgary, je me suis dit que j'étais un maudit menteur, mais Laura ne m'a pas jeté la pierre.)

— Très bien, le but de cet exercice, c'est d'éloigner les vaches mais de garder les veaux à l'intérieur. Repère une vache, montre-la à Chef puis accroche-toi à ta selle. Il va faire le reste. Si tu changes d'idée et que tu veuilles laisser une vache aller, appuie seulement la main sur l'encolure de Chef. Ça lui indiquera de lâcher la chasse et d'attendre d'autres ordres. Vas-y. Je vais guetter à la barrière pour toi.

Elle a tourné le dos et s'est éloignée.

J'ai regardé le troupeau tourner en rond. Choisis-toi une vache, avait dit Laura.

D'accord. Toi, là, avec les longues cornes. Et d'un. Maintenant, il faut la montrer à Chef. Eh, euh, écoute donc là, Chef. Tu vois cette grosse horreur, là-bas, l'air menaçant?

Chef n'a pas bronché.

Laura attendait près de la barrière ouverte.

— Vas-y, Man, qu'elle a crié. Faisons ça aujourd'hui, correct?

Chef s'est réveillé et a acquiescé de la tête à deux reprises, comme s'il appuyait la proposition. J'ai crié:

— Certain, Laura. On y va.

— Donnes-y ça, mon gars! a rugi une voix venue du barreau supérieur de la clôture où l'auditoire était assis. J'ai regardé de ce côté. La voix, c'était celle de Jim Walker, le plus proche voisin de Laura. Sa femme Mary et lui sont venus à la ferme, une couple de fois depuis que Tyler et moi y restons. Il se montrait amical, j'imagine. Je n'ai pas répondu. Je ne me sentais pas amical. Je me sentais stupide, point de mire de tous ces gens qui me regardaient.

À toi de jouer, Chef, toi, le cheval-qui-sait-tout. Permets-moi de briller, pour faire changement.

Je l'ai poussé du geste vers la vache aux longues cornes et, instantanément, ses oreilles se sont aplaties, son cou s'est allongé et, comme du mercure huilé, il s'est glissé entre la vache et le reste du troupeau. Je pouvais à peine le croire: en une fraction de seconde, un camion poids lourd s'était changé en Ferrari.

La vache a mis les freins. Chef aussi. Ils sont restés face à face, à se regarder dans le blanc des yeux comme deux boxeurs qui s'attendent pour ouvrir les hostilités. La vache a bougé la première. Qui aurait cru que mille trois cents livres de vilaine graisse se déplacent aussi vite! En une fraction de seconde, elle avait pivoté et repartait dans l'autre sens. Chef ne l'avait pas lâchée et je n'aurais pas lâché Chef pour tout l'or du monde.

La vache a soudain capitulé et s'est rangée pour franchir docilement la barrière au petit trot, Chef et moi sur ses talons. Tous les spectateurs ont applaudi. J'ai rougi et choisi une autre vache.

Celle-là était plus rapide encore que la première. Elle a déguerpi à l'autre bout de l'enclos mais nous étions juste devant elle quand elle s'est arrêtée.

— Bravo! a crié quelqu'un, de la clôture, et je me suis tourné pour voir qui c'était.

Au même moment, la vache a plongé du côté apposé à celui où on l'attendait. Chef aussi. En me désarçonnant.

Le sol était doux. Ce qui a le plus souffert de ma chute, c'est mon orgueil. Je me suis redressé lentement et j'ai recraché une bouchée de terre parfumée de bouse.

Six personnes se tenaient debout autour de moi, à me reluquer. Laura était l'une d'elles. J'ai d'abord cru qu'elle s'était inquiétée, puis j'ai vu le sourire qu'elle n'essayait même pas de cacher.

— C'est pas drôle, Laura.

— Je t'avais dit de te cramponner. Bon! ne reste pas écrasé là. Tu as des vaches à guider. Vas-tu laisser Chef s'en occuper tout seul?

J'ai suivi son regard et j'ai vu Chef guider la vache vers la barrière. Mille millions de sabords! Même le cheval était plus brillant que moi.

Je l'ai monté et j'ai repris la besogne.

Une demi-heure plus tard, les vaches étaient toutes hors de l'enclos et, même si je ne l'avouais qu'à moi-même, je m'étais bien amusé avec le vieux Chef.

C'est là qu'on est arrivés à la partie difficile. Laura et Tyler se sont mis à talonner les veaux. Laura montait un autre cheval et Chance semblait bien travailler avec Tyler. Les autres — j'en étais — travaillaient au sol en deux équipes. Jim, Mary et moi formions l'une d'elles. Laura talonnait les veaux pour nous. Elle nous a amené le premier.

— O.K., Man, a dit Jim, tu tiens cette patte juste ici, comme ça.

Pas aussi facile que ça en avait l'air. Le veau était terrifié. Et il n'était pas au bout de ses peines, le pauvre. Il n'y a vraiment rien de bien agréable pour le veau dans tout ce processus. En fait, c'est plutôt une sale affaire pour lui, mais Jim et Mary travaillaient si vite que j'ai préféré croire que tout était fini avant même que le veau se rende compte de ce qui lui arrivait.

En moins de deux minutes, ce veau-là était vacciné, fiché dans l'oreille et castré. Jim s'est alors saisi du premier des trois fers à marquer aux initiales L.M. soulignées et suivies d'une barre: la marque de Laura.

Il a appliqué le fer rougi au gris contre le flanc du veau. J'ai entendu le grésillement du poil brûlé et de la peau et vu un nuage de fumée jaune puante se déployer devant ma figure. Et, juste là, sous le chaud soleil de juillet, je suis devenu de glace à l'intérieur. Mes entrailles se sont nouées. Les bruits du troupeau bêlant, les cris, les rires de l'équipe, tout s'estompait, s'éloignait. Le corral baigné de poussière et croulant de chaleur s'évanouissait dans le lointain.

J'avais reculé de huit ans dans le passé. J'étais revenu à la dernière fois que j'avais senti cette odeur de peau brûlée par le feu. Revenu à mon drame.

J'ai laissé tomber la patte du veau. Venue de tout près, peut-être, ou de très loin, de cent milles, la voix de Jim a dit:

— Eh, garçon, réveille-toi. Tiens bien le veau. On n'en a pas fini avec lui.

Moi, j'en avais fini. Ce cirque m'écœurait. Lentement, la tête encore remplie de ce qui s'était passé, huit ans plus tôt, je me suis redressé. Le veau s'est libéré et m'a lancé, en partant, un coup bien dirigé sur le tibia. Je l'ai à peine senti. Il fallait que je m'échappe.

Laura enroulait son lasso, prête à attraper un autre veau. Elle a regardé de mon côté et interrompu son geste pour mieux m'observer. Et là, elle a crié, la voix assez forte pour dominer le tumulte du troupeau braillard:

— Manuel. Qu'est-ce que tu...

Je n'ai pas entendu le reste. J'ai traversé l'enclos en courant comme un fou. Je l'ai vue, de loin, lancer sa monture dans ma direction. Ça criait partout. Des regards curieux me vrillaient le dos. Les membres de l'équipe regardaient, fascinés, le garçon bizarre qui faisait son numéro.

— Manuel!

C'était Laura. Je n'ai pas regardé derrière, mais je l'ai vue tourner son cheval dans ma direction. J'ai continué de courir. Puis j'ai aperçu Chef, attaché à l'extérieur du corral, là où je l'avais laissé. Je ne me souviens pas d'avoir gravi les dix barreaux de la clôture, mais j'ai bel et bien sauté en selle et orienté Chef vers la piste. Sentant mon énervement, il a détalé comme un fou. On a laissé la crique derrière nous avec un saut géant et on a continué de galoper jusqu'à la clôture ouest, un mille plus loin. Il m'a fallu arrêter pour ouvrir la barrière. Ça m'a ramené sur terre. Est-ce que j'allais fuir ainsi toute ma vie? Il me fallait m'arrêter et réfléchir. L'endroit idéal pour ça, c'était la grande source. Tyler m'y avait conduit, déjà. C'était tout près et très paisible. J'avais besoin de me ressaisir. Chef était épuisé. On s'y est pointés.

La source coulait dans un épais bosquet de cèdres et elle s'épanouissait en un large bassin dans lequel l'eau surgissait du sol avec une telle force que des bulles montaient constamment à la surface, donnant au bassin l'allure d'un volcan.

J'ai attaché Chef et je suis resté là à regarder l'eau et à essayer de fixer mes pensées sans trop non plus m'y arrêter. Je ne sais pas combien de temps je suis resté là. Je n'avais pas ma montre pour vérifier, mais ça a été longtemps. Le soleil a glissé derrière le sommet des grands cèdres. L'ombre fraîche a gagné la source. Je ne bougeais toujours pas. Je n'avais plus d'endroit où aller.

Je ne pouvais pas retourner chez Laura. Dans ma tête, je les voyais assis autour de sa table de cuisine, riant et bavardant. Parlant, probablement, de ce que ce fou de Jamieson avait fait, l'après-midi même. Ils avaient raison. J'étais sans doute un peu fou.

Le crépuscule tombait quand Chef a relevé la tête en hennissant, au comble de l'excitation. Ça voulait dire qu'un autre cheval venait vers nous. Je n'ai même pas regardé qui c'était. Deux personnes, seulement, pouvaient me rechercher et je ne voulais voir ni l'une ni l'autre.

Les pattes d'un cheval ont défilé devant mes yeux. Des pattes gainées de bas noirs tirant sur le bleu acier. Celles de Smoke. Laura.

J'ai gardé les yeux baissés. Une botte sale, maculée de fumier, s'est posée sur le sol. Une autre. Les bottes se sont rapprochées. Le silence s'est épaissi. Venez-en au fait, Laura. Blâmez-moi d'être aussi inutile, aussi peu responsable comme cow-boy. Peu m'importe ce que vous allez dire.

Cessez seulement de m'accuser avec ce regard que je sais que vous avez sur la figure.

Laura a élevé la voix et tiré une bûche pour s'asseoir près de moi.

— Tu aurais pu choisir un endroit moins fréquenté par les moustiques.

J'ai abdiqué.

— Vous pensez que je vous dois des explications.

Elle a poussé un soupir.

— Non, Man, à moi, tu ne dois rien du tout, mais à toi, des tas de choses. Règle tes comptes le plus tôt possible, les intérêts vont s'accumuler. Ce que tu gardes, quoi que ce soit, bloqué à l'intérieur, te déchire, tu le sais.

«Oui Laura, ai-je pensé, vous avez tout à fait raison. Le rappel de mon passé me rend fou. Mais ça ne veut pas dire que je suis capable d'en parler.»

Je me suis détourné et j'ai continué de fixer l'eau. Laura s'est levée.

— Bon, allons-nous-en, a-t-elle dit, fatiguée. Tu ne peux pas rester assis ici toute la nuit.

Nous sommes rentrés ensemble à la maison sans plus rien nous dire.

Tyler était couché. Je me suis dévêtu sans allumer, espérant ne pas l'éveiller et m'exposer à ses éternelles questions. Je me suis doucement glissé entre mes draps et j'ai allongé la main vers ma couverture.

— Man, ça va? a dit la voix de Tyler, dans le noir.

— Oui, ça va. Dors.

Je suis resté immobile un long moment, l'écoutant respirer, n'osant bouger de peur qu'il ne décide que j'étais encore éveillé et ouvert à la conversation. J'en avais des crampes dans les jambes.

— Man?

— Quoi?

— Qu'est-ce qui s'est passé, cet après-midi?

— Je ne veux pas en parler.

— Ça a rapport à maman, pas vrai?

Une clochette d'alarme a sonné dans ma tête. Je me suis redressé tout droit sur mon séant.

— De quoi tu parles? Tu étais trop petit. Tu ne te souviens pas...

— Oui, je me souviens, d'une certaine manière...

Il prononçait les mots doucement. Je lui ai coupé la parole.

— Ne poussons pas plus loin, tu veux. N'essaie pas de rien te rappeler de cette histoire. (J'ai ravalé ma salive.) Fais-moi confiance, Tyler. Je ne veux pas en parler. Ni maintenant, ni jamais.

Il y a eu un long silence.

— Tu en parles dans ton sommeil, Man.

J'ai figé.

— Quoi?

— Tu l'as toujours fait. Depuis que maman est morte.

— Qu'est-ce que je dis?

— Rien de bien sensé. Juste quelque chose comme: «Non, maman, ça aurait dû être moi...»

J'ai enfoui ma tête dans mon oreiller. J'avais raison: ça aurait dû être moi.

J'ai mis longtemps à m'endormir. J'avais peur du sommeil. Je savais que si je m'endormais, je rêverais encore à ce drame.

Oui. J'en ai encore rêvé.

21

Je me suis éveillé en sursaut quand un objet lourd m'est tombé sur la poitrine. C'était le matin et Tyler se dressait debout au-dessus de moi, un sourire malicieux sur la figure.

— Bonne fête, Man, qu'il a dit. Éveille-toi et ouvre ton cadeau.

C'était le dix juillet, je le voyais bien sur ma montre. Et c'était mon anniversaire. J'avais seize ans. J'étais assez vieux pour conduire la moto de Keith, si jamais il me la laissait encore, ce dont je doutais. Toute ma vie, j'avais rêvé d'avoir seize ans, et voilà que j'avais presque manqué le grand jour, à cause de tout ce qui m'était arrivé.

Je me suis assis, j'ai déchiré l'emballage de mon présent et je me suis absorbé dans sa contemplation. Un couteau de chasse. Le couteau que je désirais depuis des années. Ces choses-là coûtent cher: dans les quarante dollars.

— Eh, où tu as pris l'argent pour ça?

— Pas poli de demander, a dit Tyler, l'air blanc comme neige.

Je connaissais la réponse. Il n'y avait qu'une personne qui pouvait le lui avoir donné: Laura. Merde, alors! Il avait dû lui révéler pourquoi il voulait cet argent. Et maintenant, elle en ferait tout un plat, puisque c'était ma fête et tout...

— Tu n'aimes pas ton cadeau?

La voix déçue de Tyler m'a secoué. Contrit, j'ai reporté mon attention sur lui. Ce cher vieux frère! Toujours fidèle au poste. J'avais beau le repayer par de l'ingratitude, il restait là, à rêver que je sois le Lone Ranger, et lui, Tonto.

— Certain que je l'aime, gros bêta! Pourquoi tu penses que je sèmes des indices autour de moi depuis cinq ans?

Pour Laura, j'avais tort. Elle n'a pas fait de chichis pour ma fête. Elle n'en a même pas parlé, au déjeuner. En fait, c'est à peine si elle m'a adressé la parole. Après ma conduite de la veille, ça se comprenait.

Pour un début de juillet, la journée a été particulièrement chaude. Et humide. Après l'excitation des deux derniers jours, les esprits s'étaient calmés et personne ne faisait grand-chose. Vers le milieu de l'après-midi, Tyler, moi et Tempête étions allongés à l'ombre sur la véranda. Tyler lisait. La chienne et moi essayions de faire un somme. Et puis, Laura est sortie.

— Allez, les gars, levez-vous et marchez; j'ai du boulot dans vos cordes. (C'est à peine si je l'ai regardée. Tyler, si zélé d'habitude, ne manifestait pas d'enthousiasme lui non plus.) Le petit pré de dix acres que je loue, près de la vieille cabane de bois rond, ça vous dit quelque chose?

Tyler a fait oui de la tête.

— Eh bien, il faut y installer une demi-douzaine de bouvillons. Vous irez les chercher là où ils sont et vous les ferez passer, par la barrière, dans ce pâturage, où l'herbe est plus drue.

Elle y mettait le paquet! Occuper une après-midi de canicule avec un boulot si manifestement inutile. Je me suis redressé à contrecœur.

— Aujourd'hui?

Elle m'a fusillé du regard.

— Non, Man: hier. Évidemment que c'est pour aujourd'hui. Pourquoi pas? Vous êtes trop occupés, sans doute, tous les deux?

Je lui ai rendu son regard.

— On meurt de chaleur et le pré est à trois milles d'ici, et...

— Raison de plus de te dépêcher de gagner ta croûte, a dit Laura, pointue. (Ce qui était une manière pas trop subtile de me rappeler qu'en plus du reste, je lui devais pour vingt-cinq dollars de main-d'œuvre.)

Une demi-heure plus tard, Tyler et moi pressions nos montures récalcitrantes le long du sentier menant au pré loué. J'ai soudain freiné Chef.

— Cramponne-toi, Tyler. J'ai une idée.

J'avais remarqué l'autre piste auparavant, quand nous étions venus travailler à la clôture. Elle allait franc ouest jusqu'à une barrière en fil de fer, fermée et décorée d'une pancarte: Passage interdit. De l'autre côté de la barrière, un pont de bois enjambait la crique. Il y avait un chalet, près de la ligne d'arbres. Laura avait dit que le domaine appartenait à des touristes de week-end. Bon, on était mardi. Ils ne seraient pas là. Ni vu, ni connu. Traverser leur pont nous mènerait beaucoup plus vite au pâturage des bouvillons que de faire le tour de la crique jusqu'au passage à gué et en revenir — trois milles de plus.

— Viens, Tyler. Prenons un raccourci.

Il a hésité.

— Mais Laura dit que...

— Laura dit un tas de choses et tu les crois toutes. Rends-toi compte, Tyler, tu es en train de devenir une vraie guenille, depuis que Laura t'a annexé.

C'était une injure délibérée. Et ce n'était pas vrai. Mais j'ai pensé que je le tenais. Il s'est mis à discuter pour la forme: Oui, mais... Juste à ce moment-là, une grosse mouche à chevreuil m'a pris une bouchée sur l'épaule. Furieux, j'ai rabattu une main sur elle tout en disant à Tyler, cinglant:

— Toi, fais comme tu veux. Si tu as peur de Laura, passe le reste de l'après-midi à tourner en rond sur la piste, au grand soleil. Moi, je vais aller là-bas, faire sa besogne idiote et il me restera le temps d'aller nager dans l'eau fraîche.

Sans attendre sa réponse, j'ai donné un coup de talon à Chef et j'ai filé au grand galop vers la barrière. Quand je suis descendu pour l'ouvrir, Tyler était là, derrière. Il m'a suivi en silence de l'autre côté et m'a attendu pendant que je refermais et que je remontais en selle. Il était fâché contre moi, mais je m'en fichais. Je savais ce qu'il espérait de la vie: lui et moi et Laura. Une belle famille heureuse. Eh bien, ça ne serait pas comme ça. Il valait mieux pour lui de faire son choix dès maintenant.

Du talon, j'ai donné à Chef l'ordre d'aller au petit trot le long de la piste. Monté sur Chance, Tyler m'a aussitôt dépassé à la vitesse de l'éclair. Quand il a eu fini sa démonstration d'équitation, il a remis Chance au pas et s'est avancé sur elle vers le pont juste devant moi.

Elle allait délicatement dans les herbes qui bordaient le bout du pont et s'est arrêtée net quand il lui a fallu poser le sabot sur le plancher de bois.

— Vas-y, fille, l'a encouragée Tyler doucement. C'est juste un vieux pont. Pas dangereux. Tu traverses le nôtre souvent, à la ferme.

Il l'a poussée des talons et de la voix, avec fermeté. Droit devant. Rien à faire. Elle a henni nerveusement et a fait volte-face en pivotant sur ses pattes antérieures.

À quoi s'attendre d'autre! Ce cheval est gâté pourri. Tyler a bien de la grâce de le monter. Moi, je trouve que ce qu'il lui faut, à cet animal, c'est un bon coup de pied dans les côtes.

Tyler lui a fait faire demi-tour après quoi il a essayé de nouveau.

— Doucement, Chance... (Deux pas en avant.) Bravo, fille!... (Trois pas en arrière.)

J'en ai eu assez. J'ai crié.

— Ôte cette picouille de mon chemin. Chef va traverser, lui.

Le vieux clown manquait peut-être de classe, mais il était loin d'être stupide.

Tyler m'a jeté un regard offensé mais, sans plus discuter, il a dirigé Chance derrière Chef.

J'ai mené le gros cheval au pas jusqu'aux abords du pont. Sans hésiter, il a posé le pied sur la première planche, qui a rendu un son creux sous son sabot. Ses oreilles se sont dressées et il a aussitôt retiré le pied pour le poser sur du solide. Je l'ai harcelé du talon.

— Vas-y, Chef.

Docile, il s'est avancé, a posé un sabot sur le pont et s'est de nouveau dérobé. Il a baissé l'encolure, posé les naseaux près des planches qu'il a reniflées avec méfiance. Tyler me couvait du regard, j'en étais conscient. Il ne disait rien, mais n'en pensait pas moins. Son grand frère ne faisait pas d'étincelles, lui non plus, pour franchir ce pont. «Il y a une petite différence, mon Tyler, que j'ai pensé, fanfaron. Mon cheval ne se tirera pas aussi facilement que le tien d'une tentative de rébellion.» Serrant les guides, j'en ai asséné un coup violent sur la croupe de Chef en même temps que j'enfonçais mes talons dans ses côtes. Il a redressé la tête et renâclé, alarmé. Puis il a posé les deux pieds de devant sur le pont. Bon début. Levant haut le pied comme s'il avançait dans les chardons nerveusement, Chef a fait un autre pas. Puis un autre.

J'ai jeté à Tyler un regard de triomphe.

— Tu vois, je t'avais dit qu'il y viendrait. Suivez-moi Chance et toi. Y a rien là...

J'ai entendu le bruit du bois volant en éclats, en même temps que j'ai senti céder sous moi le poitrail de Chef. Je me suis raccroché au pommeau. Trop tard. Tourné comme je l'étais sur la selle, j'étais déjà déséquilibré. Chef est tombé et j'ai été précipité par-dessus sa tête. Tout s'est produit très vite. Avant même de m'écraser sur les planches du pont, j'ai su ce qui nous arrivait et pourquoi ça nous arrivait. Les planches étaient pourries et Chef avait passé au travers.

Je suis resté là sans bouger, étourdi, me demandant si j'étais encore de ce monde. Tout était si sombre autour de moi, comme si quelque chose bloquait le ciel. J'ai vite compris de quoi il s'agissait. Le grand corps de Chef se cabrait, au dessus de moi, tentant désespérément de reprendre pied. D'autres planches se sont brisées. J'entendais le bruit... Une pauvre bête terrifiée cherchait à s'en sortir.

J'ai retrouvé mes esprits et tenté d'échapper aux sabots fous. Trop tard. Un poids écrasant m'est tombé dessus. J'étais coincé. Je ne pouvais plus ni bouger ni même respirer. Un brouillard rouge s'est déployé sur mon cerveau comme un banc de brume au petit matin, menaçant de m'envelopper dans ses plis et de m'emporter loin, quelque part. Au bord de l'évanouissement, j'ai remué la tête, essayant de me ressaisir.

Très loin, j'ai entendu craquer d'autre bois. Le poids qui m'écrasait s'est ôté. J'ai respiré à nouveau — enfin, presque. Mon cerveau s'est arraché au brouillard et s'est remis à donner des ordres à mon corps. Vas-y, Man, lève-toi. Tu n'as quand même pas l'intention de rester là à attendre que le cheval te retombe dessus!

O.K., O.K., j'essaie. Vaille que vaille, je me suis remis debout à temps pour voir Chef s'ébrouer, sauter en l'air et tomber du parapet. Quand il a touché l'eau, il y a eu un grand bruit d'éclaboussures, puis le silence.

Encore engourdi, j'ai fait deux pas en titubant et je me suis immobilisé. Une vague de douleur m'emportait. J'ai regardé à mes pieds. J'étais debout au bord de ce qui restait du plancher du pont. En tentant de reculer, j'ai perdu l'équilibre et l'eau froide et noire s'est refermée sur moi.

22

Tomber à l'eau m'a vite tiré de mon coma. Mon premier réflexe a été d'aspirer un peu d'air. J'ai plutôt aspiré de l'eau à pleins poumons, après quoi j'ai coulé comme une roche. L'eau n'était pas profonde, pourtant. Dix ou douze pieds, au plus creux, mais j'ai eu l'impression que j'allais voir le *Titanic* par le fond. J'ai coulé pendant une éternité. Quand j'ai touché le fond, la glaise gourmande s'est saisie de moi pour me retenir, me garder... Pris de panique, j'ai repoussé le fond du pied, créant un nuage noirâtre tellement épais que je ne trouvais plus l'air libre. Où aller? Jouant des ongles et des doigts, j'ai grimpé vers ce que j'espérais être la surface. Il ne me restait plus beaucoup d'air dans les poumons. Ma tête a fendu l'eau. L'éclat du soleil de l'après-midi m'a ébloui. J'ai rempli mes poumons en exultant de joie. Puis, nageant debout, j'ai secoué mes cheveux vers l'arrière et regardé l'univers qui m'entourait.

Le pont — ce qui en restait — était derrière moi, mais je ne voyais Chef nulle part. Je me suis dit qu'il était probablement déjà rendu à mi-chemin du ranch, quand j'ai vu Tyler se laisser choir à bas de Chance, lancer ses guides sur une branche de saule et courir vers la berge. Fallait que je m'enlève de là, et vite. Autrement, il plongerait pour me sauver.

J'ai pataugé comme j'ai pu. La rive n'était qu'à quelques brasses, de toute façon. Mes pieds ont touché le fond et j'ai marché en trébuchant dans l'eau peu profonde.

J'ai gagné la rive vaseuse et je m'y suis laissé choir, trop épuisé pour bouger. M'être rendu là et respirer comme tout le monde était en soi un exploit.

— Man? Es-tu correct?

Tyler me secouait l'épaule et me criait dans les oreilles.

J'ai croassé.

— Oui, oui, ça va.

Je me suis assis et j'ai tenté de respirer à fond, mais ça m'a fait tousser. C'est à ce moment-là que quelqu'un m'a planté un couteau de boucher en plein cœur. En tout cas, c'est ce que j'ai cru. J'ai eu peur et j'ai regardé autour de moi. Pas de couteau. Pas même de sang. Mais ma chemise était déchirée et sur le côté de ma poitrine, un fer à cheval était imprimé et sa couleur verte tournait au violet. Quelle ironie! Le fer à cheval: symbole de chance? Pas pour moi, en tout cas.

J'ai passé une main inquiète sur la meurtrissure. Je n'aurais pas dû. Il y avait là quelque chose de défectueux. Des côtes fracturées, probablement. Fêlées, peut-être seulement, si j'étais chanceux. Ça ne me tuerait pas, et même si... je préférais presque mourir ici, dans la boue, à servir de donneur de sang à quelques milliers d'insectes. Lentement, tenant mes côtes de la main, je me suis levé. J'ai sacré comme un charretier: ça faisait mal en maudit.

Tyler m'a regardé avec de grands yeux inquiets. Il a dit:

— Man, es-tu sûr que tu...

Je l'ai rassuré et je l'ai grondé, emporté par la colère.

— Laisse-moi tranquille, Tyler. Essaie plutôt de retrouver cet imbécile de cheval. Il est probablement revenu au ranch maintenant, et je n'ai pas le goût de marcher.

— Chef est ici, a dit Tyler, en vérifiant de l'œil.

Je me suis retourné et j'ai poussé un soupir de soulagement. Pour une fois, Chef n'avait pas pris avantage de la situation. Il se tenait sur la berge de la crique, à quelques cinquante verges en aval, pareil à un rat qu'on aurait noyé, l'air amorti. Il n'était pas revenu tenir compagnie à Chance.

J'ai marché vers lui. Mes jeans mouillés collaient à ma peau et l'eau clapotait dans mes bottes à chaque pas. Il a levé la tête quand je me suis approché, mais il n'a pas bougé.

J'ai ramassé les rênes pleines de boue et en le tirant vers moi, j'ai marmonné:

— Allez, viens.

En imprimant aux rênes un coup qui m'a probablement fait plus mal qu'à lui, j'ai crié:

— Espèce d'abruti!

Il ne se tenait pas comme d'habitude, j'ai fini par le remarquer. Les herbes du marécage le long de la digue des castors le dissimulaient presque mais, en y regardant de plus près, j'ai vu qu'il portait tout son poids sur trois pattes seulement. La quatrième, la gauche antérieure, saignait et il la tenait relevée pour que le sabot ne touche pas le sol. Il y avait quelque chose d'étrange dans la façon dont elle était repliée.

Oh non, que je me suis dit, en passant ma main devant mes yeux, je n'avais pas besoin de ça.

— Eh, Man, viens-t'en, on rentre.

Tyler, en selle sur Chance, trottait vers moi. Il a soudain ramené son cheval au pas.

— Man, qu'est-ce que tu attends? Tu ne peux pas monter? Eh, tu es vraiment blessé, pas vrai?

Il s'est apprêté à descendre. J'ai ordonné:

— Reste en selle. Moi, ça va, mais va chercher Laura. Je crois que Chef a la patte cassée.

Le sang s'est retiré de la figure de Tyler.

— Si sa patte est cassée, il faudra qu'il soit...

Il n'a pas terminé sa phrase. Ça m'a soulagé.

— Voyons donc, Tyler, déniaise! C'est rien qu'un cheval, après tout. Cesse de me regarder avec cet air-là et fais ce que je t'ai dit. Vite! On n'a pas toute la journée.

Il a continué de me dévisager. Pendant de longues minutes, ses yeux accusateurs sont restés fixés sur moi. Je l'ai fixé à mon tour. J'ai baissé les yeux le premier. C'était la première fois que ça m'arrivait.

Ça a rompu le charme. Sans ajouter un mot, Tyler a planté les talons dans les flancs de Chance, l'a fait pivoter sur ses pattes postérieures et s'est jeté dans la piste au triple galop.

Pendant un moment, j'ai entendu l'écho faiblissant des sabots de Chance. Puis, plus rien que le murmure de l'eau courant au-dessus du barrage des castors et le bourdonnement des maringouins affamés. Il n'y avait plus là que nous deux. Moi et un cheval qui ne savait pas qu'il allait mourir.

Il restait là, silencieux, calme, sa longue queue noire chassant patiemment les moustiques. De temps à autre, il baissait la tête et soufflait dans ses naseaux comme s'il était inquiet, mais c'était tout. Ça mis à part, et la façon dont il tenait sa patte, on n'aurait jamais deviné qu'il y avait quelque chose qui n'allait pas. Sauf, peut-être, le regard perplexe dont il me couvait. Comme s'il s'attendait que je fasse un miracle. Je ne sais pas. Peut-être que j'imaginais ça?

Je commençais à me sentir terriblement coupable et ça me mettait tout à l'envers. La culpabilité, j'avais tellement connu ça, à sept ans, que j'essayais, depuis, de chasser cette maladie de mon système. Je m'étais cru immunisé contre elle. Jusqu'à maintenant.

À vrai dire, le cheval se comportait beaucoup mieux que moi, au milieu de ce gâchis;

il a bougé un peu et j'ai réalisé que le moins que je puisse faire, c'était de lui retirer sa lourde selle.

Je m'y suis repris à trois fois pour en venir à bout et, quand j'ai enfin réussi, j'ai eu si mal aux côtes que je me suis presque évanoui. Et puis après? C'était une façon de commencer à payer. J'ai appuyé ma joue contre l'encolure de Chef et j'ai attendu que ça cesse de tourner. Il m'a gentiment mordillé l'épaule. J'ai levé la tête et regardé cette bonne grosse face honnête marquée d'une étoile. «Bougre d'imbécile, ai-je pensé. C'est moi qui t'ai fait ça. Tu pourrais au moins me détester. Et tu veux qu'on soit amis.» J'ai ravalé ma salive et je me suis soulevé pour le caresser près des naseaux, écrasant une douzaine de maringouins qui s'y étaient installés. Puis, j'ai passé ma main tachée de sang sur mes yeux qui piquaient et j'ai prié silencieusement: Vite, Laura! en enroulant mon bras autour du cou de Chef. Il a appuyé son nez contre mon épaule, et nous sommes restés là, à attendre.

J'ai enfin entendu le bruit lointain d'un moteur. Merci mon Dieu! Je n'en pouvais plus. L'attente, il n'y a rien de pire. C'est du moins ce que je m'étais imaginé jusqu'à ce que Laura et Tyler descendent de la camionnette et que j'aperçoive le fusil qu'elle portait. Alors j'ai su que je m'étais trompé: ce qui allait suivre allait être bien pire que l'attente.

Le visage de Laura était comme du granit. Elle avait vieilli de dix ans depuis le début de l'après-midi. Elle n'a même pas regardé de mon côté. Elle a marché jusqu'à Chef et a tendu la main vers lui.

— Ça va, mon petit vieux, a-t-elle dit doucement. Ça va. Regarde, je t'ai apporté quelque chose.

Elle a ouvert la main. Le nez de Chef s'est avancé, tout comme ses oreilles. Il a pris délicatement le sucre dans la main de Laura et l'a croqué. Elle s'est penchée et a regardé la patte. Elle ne l'a pas touchée. Elle l'a juste regardée, a donné une tape amicale à l'encolure du cheval et a ramassé le fusil qu'elle avait posé à terre.

Je savais que ça s'en venait. Je l'avais su dès que j'avais vu la patte, mais quand elle a glissé la main dans sa poche, qu'elle en a tiré des cartouches et qu'elle a chargé le fusil, c'est devenu vrai.

Chef a savouré le sucre, s'est tourné et a regardé Laura en hennissant doucement. Il en voulait d'autre? Ou bien c'est sa présence qu'il voulait? Ce cheval, elle l'avait depuis des années. Il avait dix-huit ans. Il était plus vieux que moi. Et elle l'avait élevé. Dix-huit ans à être le cheval de Laura.

Je me suis forcé à la regarder.

— Je vais m'en occuper, ai-je dit, en me demandant, au moment même où je le disais, si j'en serais capable. (J'ai tendu la main vers le fusil.)

Laura s'est tournée vers moi. Ses yeux étaient de glace.

— Non, Man, tu en as assez fait. Tout ce qui lui reste à ce cheval, c'est la chance de mourir dignement. Cette besogne, tu ne viendras pas la bousiller.

J'ai baissé pavillon. Je suis resté là à me faire insulter sans broncher. Une première dans ma vie. Laura a tendu la main vers les rênes et a dit, la voix dangereusement calme:

— Fiche le camp d'ici, Man!

J'ai hésité. Tout ça, c'était ma faute. Je ne pouvais pas juste m'en aller.

Les yeux de Laura ont étincelé. Sa voix tremblait.

— Tu m'as entendue. Va-t-en! Disparais de ma vue.

J'ai fait demi-tour pour partir, mais je me suis arrêté. Juste une seconde, j'ai posé ma main contre le cou de Chef. Il était chaud, soyeux, plein de puissance. Vivant.

Je me suis mis à marcher. J'entendais Chef mâchouiller un autre carré de sucre.

J'ai continué de marcher. Et d'attendre. Cent verges. Allez-y, Laura. Pour l'amour de Dieu, qu'on en finisse! Deux cents verges.

Le coup de feu a fendu l'air et j'ai sauté comme si c'était moi que la cartouche avait frappé, mais je n'ai pas regardé derrière. Je me suis mis à courir. À chaque pas, une vague de douleur me submergeait. J'en étais content. Ça me donnait quelque chose à quoi me raccrocher. La douleur physique se supporte plus facilement que l'autre.

Je courais, je courais, je n'étais plus capable de m'arrêter. Je l'aurais voulu, pourtant. Mon corps était à bout, mais mon cerveau ne voulait pas qu'il ralentisse. Pas avant que j'arrive à la maison. C'était la deuxième fois que ce mot me venait, à propos du ranch de Laura. Je suis tombé, tête première, dans l'herbe parfumée de trèfle du jardin arrière.

Je ne sais pas combien de temps je suis resté là, à brailler si fort que ça couvrait tous les autres bruits. Sauf ceux qu'il y avait dans ma tête. Rien ne pouvait couvrir ceux-là. Mes pensées tournaient en rond comme un disque qui s'est enrayé. «Cette fois-ci, Man, tu t'es surpassé. C'est presque aussi pire que l'autre fois...»

J'aurais voulu crier.

— Ça va faire! Je veux qu'on me laisse tranquille, qu'on cesse de me talonner. Je veux oublier.

23

J'ai gémi et je me suis tourné sur le dos, juste à temps pour recevoir dans la figure une grosse langue mouillée. C'était Tempête, les sourcils en accent circonflexe, qui me léchait le visage et qui faisait de son mieux pour me ressusciter au bouche-à-bouche. J'avais beau me sentir démoli, le sourire de cette grosse bête puante avait quelque chose de si communicatif que j'y ai répondu. Je me suis mis à rire mais ça faisait tellement mal que j'ai arrêté. Je me suis assis et j'ai entouré Tempête de mes bras. Tenir contre moi ce corps chaud m'a un peu réconforté. Jusqu'à ce que je me rappelle combien Chef était chaud sous ma main, lui aussi, la dernière fois que je l'avais touché.

J'ai repoussé le chien et je me suis déplié lentement. J'ai gravi l'escalier arrière et j'ai poussé la porte moustiquaire pour entrer. La cuisine était chaude, propre, pleine de soleil. Une odeur familière m'est montée au nez. Étrange. Ce parfum que j'aimais d'habitude me soulevait le cœur. Bon! qu'est ce que j'allais faire maintenant?

Je me suis tourné pour gagner le corridor. J'ai figé raide: quelqu'un se tenait debout, au fond. J'ai regardé plus attentivement. J'en avais perdu des bouts, certain. La personne qui me regardait là-bas, c'était moi, reflété dans le miroir en pied du bout du corridor. Un moi qui ne me ressemblait pas. Mes cheveux me pendaient dans les yeux, bouclés comme quand il fait humide, mais pris en pain là où la boue les avait couverts. Mes yeux étaient bizarres, comme si j'avais pris de la drogue, et si foncés qu'ils paraissaient plus noirs que bleus. Il y avait un grand plan de peau à vif sur ma joue, là où j'avais heurté les planches rudes du pont et, même à travers le hâle, le reste de mon visage était blanc. C'est pas mêlant, j'avais l'air du gars qui va dégobiller dans la minute.

J'ai gagné les chiottes juste à temps pour m'agenouiller à côté du bol. Et j'ai rendu tout ce que j'avais à l'intérieur, au point qu'il m'a semblé que tout ce qui me retenait encore à la vie c'était mes deux bras serrés autour de ma poitrine. Ça a fini par finir. J'ai tiré la chasse d'eau et je me suis écrasé en petit tas sur le plancher, certain que j'allais mourir et souhaitant que ça se fasse vite. Mais non, la douleur dans mon estomac s'est calmée et je me suis senti un peu mieux. Assez pour me rendre compte que j'avais laissé une piste boueuse de la porte arrière jusqu'à la salle de bains et que le plancher était maculé comme si un chien mouillé s'y était vautré. Je me suis redressé de peine et de misère en m'aidant du rebord de la baignoire, je me suis assis et j'ai essayé de retirer mes bottes. Rien à faire. En séchant, elles avaient rétréci. On les aurait crues soudées à mes pieds. J'ai réussi, je ne sais pas trop comment, à passer mes jeans encroûtés de boue par dessus mes bottes. Je les ai jetés avec ce qui restait de ma chemise dans la baignoire et j'ai gagné la cuisine. Le miroir du corridor m'a renvoyé mon image. J'ai secoué la tête: jeans Calvin Klein et bottes de cow-boy. Du tape-à-l'œil, en veux-tu en v'là. De quoi lancer une nouvelle mode.

Je suis venu à bout de retirer mes bottes grâce au tire-bottes que Laura garde près de la porte arrière. Les pistes boueuses étaient toujours là. O.K., O.K., Laura, ça va faire.

J'ai compris. Avec un soupir de vaincu, j'ai ouvert la porte de la penderie et j'en ai tiré la vadrouille. «Vous voyez, Laura, ai-je pensé, en nettoyant le corridor, vous m'avez dressé. Il y a un mois, je n'aurais pas fait ça.»

«Certain, Man! — c'était la voix sarcastique dans ma tête — t'en as fait du chemin, bébé. Tu ne salis plus la maison de Laura, maintenant, tu tues plutôt ses chevaux.»

J'ai lancé la vadrouille dans le coin. «Arrête de penser, Man. Fais quelque chose. N'importe quoi. Mais arrête de penser.»

J'ai pris des vêtements propres dans la chambre et j'ai marché vers la douche. Les gens désespérés noient leur chagrin dans l'eau. Je pourrais aussi bien m'y noyer, moi aussi.

Je suis resté longtemps sous la douche, à macérer dans le confort de l'eau chaude, essayant d'atténuer ma souffrance. Ça m'a aidé, mais l'eau chaude a duré moins longtemps que ma misère morale. Il n'y en aurait jamais assez pour diluer les remords qui me rongeaient. Rien ne pourrait jamais guérir ma misère. Elle était trop profonde et, plus ça allait, plus elle augmentait.

Je me suis habillé et allongé sur mon lit. Je me sentais tellement amoché que j'aurais voulu dormir un million d'années. Je ne venais pourtant pas à bout de fermer l'œil, parce que je ne pouvais pas m'arrêter de penser. Je me suis tanné et je suis retourné à la cuisine. J'ai regardé l'heure au-dessus de l'évier. Presque huit heures. Laura et Tyler étaient là-bas depuis plus de deux heures. Qu'est-ce qu'ils fabriquaient? «Ça ne prend pas des heures pour tuer un cheval, pas vrai, Man?» a demandé ma voix intérieure, tournant encore le fer dans la plaie.

Je n'en pouvais plus.

Le riche parfum d'épices que j'avais respiré, en entrant, flottait toujours dans la cuisine. Je l'ai soudain reconnu. Lasagne. J'ai regardé le contrôle du four. Ça chauffait toujours. Laura avait dû l'oublier quand Tyler était entré en trombe pour la chercher. J'ai refermé sans regarder à l'intérieur. Dans l'état où se trouvait mon estomac, je n'aurais pas pu voir de la nourriture. Pas même de la lasagne. La lasagne, pourtant, j'en mangerais trois fois par jour pendant un mois sans m'en lasser. Laura n'en avait pas fait depuis notre arrivée. Trop compliqué, qu'elle disait.

Alors, pourquoi maintenant, Laura? Pourquoi, par un jour chaud et humide de juillet, avez-vous décidé de rester à l'intérieur et de cuisiner, quand vous auriez pu courir après les troupeaux? Si vous aviez été avec nous...

Je me suis tourné et j'ai marché vers la porte. C'est alors que j'ai remarqué une autre chose. Sur le comptoir était posée une boîte ronde en métal comme celles dont grand-maman se servait pour transporter les gâteaux aux tombolas. J'ai soulevé le couvercle.

Le gâteau était énorme. Un gâteau au chocolat à trois étages — elle connaissait mes goûts, on aurait dit — avec un glaçage au chocolat, une écriture blanche et seize bougies rouges. *Bon anniversaire, Man*, que ça disait.

J'ai soudain compris pourquoi Tyler et moi, cet après-midi-là, il avait fallu absolument qu'on change les vaches de pâturage. C'était prévu. Elle me voulait loin pour me préparer une fête.

Une vague de douleur qui n'avait rien de physique m'a balayé. Non, Laura. Vous ne pouvez pas me faire ça. Pas maintenant. On jouait à armes égales, vous et moi. C'était la guerre. Une guerre franche. Je vous faisais mal. Vous me faisiez mal. «Alors là, aujourd'hui, on est vraiment à égalité, ai-je pensé, en essayant de ravaler l'amertume qui menaçait de m'étouffer. Vous m'avez préparé une fête d'anniversaire et j'ai tué votre cheval. Bonne fête, *sweet sixteen*. Pas à dire, les anniversaires, c'est extra. Les deux pires journées de ma vie ont été des journées d'anniversaire.»

J'aurais voulu pleurer. Appuyer mon visage contre l'armoire et me laisser aller comme un bébé. Je ne pouvais pas. Ça ferait trop mal. J'ai ravalé les sanglots qui me montaient à la gorge et passé ma main sur mes yeux. Pendant une seconde, j'ai regardé le gâteau. Puis j'ai crié tout fort dans la cuisine vide.

— Je vous déteste, Laura.

J'ai rabattu mon poing contre le comptoir, puis j'ai couru aveuglément dehors par la porte de derrière.

L'air était lourd. Le temps semblait suspendu, comme les nuées de moustiques qui fourmillaient dans l'humidité du soir. On aurait dit que tout, dans la nature, attendait qu'il se passe quelque chose. Quelque chose se passerait, bien sûr. Laura rentrerait et j'aurais à lui faire face. J'en étais incapable. Il me fallait fuir. Encore fuir, Man! Toujours fuir.

Je suis rentré et j'ai pris mon havresac. La plupart des choses que j'y avais mises la dernière fois y étaient toujours. Ça suffirait. Quand on ne sait pas où on s'en va, on voyage sans grand bagage.

Quelques minutes plus tard, j'étais dehors, debout sur le seuil, mon sac à côté de moi. Qu'est-ce que j'attendais? Où que j'aille, le chemin serait long; aussi bien me dépêcher de partir. Oui, mais si je m'attardais un peu, Laura et Tyler arriveraient et je pourrais leur dire adieu. Il ne me manquait plus que cela. Au revoir, Laura, ça été du tonnerre. Merci pour la fête et, ah oui, je suis désolé d'avoir tué votre cheval.

Et Tyler? Quelques heures auparavant, j'avais souhaité qu'il fasse son choix. C'était Laura ou moi. Le regard qu'il m'avait jeté, là-bas, au pont, disait tout: il avait choisi Laura. J'étais libre de partir. Pourquoi donc, alors, je ne le faisais pas?

J'ai traversé la cour comme à reculons. C'est là que j'ai compris ce qui essayait de se faire jour dans ma tête chaque fois que j'abaissais ma garde. Je *ne voulais pas* partir. Je *ne voulais plus* partir. Cette maison — comment ça s'était fait? — était devenue la mienne.

«C'est bien le temps de t'en apercevoir, Man, ai-je pensé, le cœur gros. C'est trop tard maintenant.»

J'avais raté ma chance. Après ce que j'avais fait, Laura ne voudrait plus me voir, et ce n'est pas moi qui l'en aurais blâmée.

Pourtant, je restais là. À regarder autour de moi. À voir les choses d'une manière différente, puisque je ne les reverrais plus. Tout était si vert, si silencieux et calme. Tout avait l'air à sa vraie place: Tempête, qui grugeait son os, les chevaux de selle qui paissaient près de la crique.

J'ai remarqué que Chance avait été débarrassée de sa selle et laissée libre avec les autres. C'est comme ça que ça devait être. Même bouleversé, Tyler remplissait ses devoirs. Il s'était occupé de son cheval, avant tout autre chose. Mon frère! Différent de moi comme le jour et la nuit. Quand j'ai pensé ça, ça m'a fait tout drôle et je me suis demandé si ce que je ressentais pour lui était de l'admiration ou de la haine.

Je ne voulais pas le savoir. Aussi ai-je été soulagé quand un hennissement impatient, venu du corral, a retenu mon attention. C'était Smoke, bien sûr. Le reste du monde pouvait jouir d'une belle soirée d'été. Lui ne tenait pas en place, comme d'habitude. Je l'ai regardé trotter d'un bout à l'autre du corral en agitant la tête. De temps à autre, il s'arrêtait, heurtait la terre du sabot et lançait un hennissement de défi. Je savais ce qu'il avait: il avait faim. Laura lui donnait toujours sa pitance à cinq heures et il était beaucoup plus tard que ça. J'ai pris une décision.

D'accord, Smoke, je te donnerai à manger une dernière fois. Je dois beaucoup à quelqu'un de par ici.

Je suis allé vers la meule pour lui chercher du foin, mais juste comme j'allais le lui lancer par-dessus la clôture, j'ai pensé qu'il n'y avait pas d'abri dans ce corral et que Laura mettait le cheval dans l'écurie pour la nuit, quand le temps était à l'orage. À voir les nuages noirs s'amonceler à l'ouest, on en aurait bientôt un.

J'ai remis le foin dans l'écurie et j'en ai ramené le licou de Smoke. L'étalon m'a regardé entrer dans le corral. Il a reniflé et reculé d'une couple de pas, saluant de la tête comme pour un jeu. Cheval, la moutarde me monte au nez, ne joue pas avec mes nerfs.

— Du calme, Smoke, ai-je ordonné, en marchant vers lui.

Cette fois, il n'a pas bougé; il m'a juste reluqué. On arriverait peut-être à une trêve, lui et moi. J'ai levé les bras pour lui passer le licou. Il ne m'avait jamais paru si grand. Oh Seigneur, que les côtes me faisaient mal! J'ai serré les dents en attachant le fermoir du licou. Toujours ça de pris. Au moins, Smoke ne m'avait pas résisté...

Je n'avais pas terminé cette réflexion qu'elle était coupée par le milieu: la tête de l'étalon a plongé sur moi et avec un bruit écœurant, ses grosses dents jaunes d'en avant ont arraché un morceau de ma manche de chemise.

Je l'avais échappé belle.

— Ça va faire, Smoke, ai-je tonné, en donnant au licou une secousse douloureuse — douloureuse pour moi, je veux dire.

De deux choses l'une: ou je l'avais impressionné, ou il était satisfait d'avoir marqué un point. Il m'a jeté son regard-pour-l'amour-qu'est-ce-qui-te-prend-de-te-fâcher, — c'était-seulement-une-farce — et m'a suivi docilement dans l'écurie. Je l'ai mis dans sa stalle, je lui ai donné son foin et j'ai fermé la porte de l'écurie pour la nuit.

24

Je ramassais mes affaires quand j'ai entendu arriver la camionnette. Je m'étais piégé moi-même. Trop tard, maintenant, pour me sauver. Je partirais quand même. La différence c'est que je préviendrais Laura. Ce serait la seule bonne nouvelle de sa journée.

Je suis resté sur le seuil et j'ai attendu. Laura et Tyler sont sortis de la camionnette et sont venus vers moi sans rien dire. La scène avait quelque chose d'irréel. Je me sentais déjà parti en quelque sorte. C'était comme si je les regardais sur un écran de cinéma. Leur façon lente, empesée, de bouger, leurs vêtements maculés de boue, leurs visages vidés de sang me rappelaient les galériens à la fin d'une dure journée dans les films de forçats. Et leurs mains! Si pleines d'ampoules qu'elles saignaient presque.

J'ai compris soudain pourquoi ils avaient été absents si longtemps. Tuer un cheval, c'est rapide. L'enterrer l'est moins. M'en rendre compte m'a rachevé.

Tyler est passé à côté de moi pour entrer dans la maison. Il ne m'a même pas regardé. Laura, elle, m'a dévisagé. Ses yeux étaient si froids que j'en ai frissonné. Elle a vu le havresac sur mon épaule et, me regardant toujours, a attendu que je dise quelque chose.

Qu'elle attende! Je n'avais plus rien à dire. Sauf, peut-être: «Je suis désolé.» Je voulais vraiment exprimer mes regrets. Mais j'en étais incapable. J'étais au bout de mon rouleau. Un mot, et je m'effondrais devant elle. Je ne voulais pas courir ce risque. Pas après toutes ces années à me bâtir une réputation de dur derrière laquelle je me sente en sécurité. C'est de cette façon-là, je l'ai lu quelque part, que les huîtres font des perles. Un grain de sable entre dans leur coquille et les irrite en frottant sans cesse au même endroit. Quand elles n'en peuvent plus, elles l'enduisent d'une couche de protection et ça ne fait plus mal. Toutes ces couches ajoutées les unes aux autres finissent par former une perle. D'après moi, c'est ça que je fais depuis que maman est morte: j'érige des couches de protection.

Fidèle à mon image, j'ai redressé la tête et rendu à Laura un regard aussi glacial que celui qu'elle m'avait jeté. Nos yeux sont restés pris un long moment. C'est Laura qui, la première, a rompu le silence.

— Où t'en vas-tu donc? a-t-elle demandé, la voix aussi froide que ses yeux.

J'ai haussé les épaules et riposté, plus arrogant que jamais:

— Sais pas. N'importe où. Du moment que ce sera loin d'ici. Qu'est-ce que ça peut vous faire?

Le visage de Laura a reflété des sentiments que je ne suis pas venu à bout d'interpréter. J'ai d'abord cru qu'elle manifestait du regret. Puis ça s'est changé en une réaction qui ne m'était que trop familière: le mépris. Laura a dit, la voix coupante:

— Vous autres, les rebelles, vous en menez large. Vous détruisez tout sur votre passage et quand ça chauffe, vous fuyez.

Ses yeux m'ont effleuré au passage, comme si je n'étais pas là, et elle a tendu la main vers la poignée de la porte.

Elle était si près de moi que j'aurais pu la toucher, mais je lui ai crié à la figure:

— Oui Laura, c'est vrai, je fuis. Qu'est-ce que ça peut vous faire? Vous ne m'avez jamais voulu. C'est Tyler que vous vouliez, mais l'un n'allait pas sans l'autre. Vous avez eu un gros chaperon stupide en prime. Je pars. Vos problèmes sont réglés. Tyler ne me suivra plus, maintenant. Il est à vous. Vous avez gagné, madame.

Ma voix s'est brisée et je me suis tu. Je n'attendais pas de réponse et je me suis tourné pour partir, lançant le havresac sur mon épaule. Ce geste a réveillé la douleur qui dormait dans mon torse. J'ai haleté malgré moi et appuyé la main contre mon flanc. Et, bien sûr, ça n'a pas échappé à Laura. Rien ne lui échappe jamais. Elle a demandé, le ton bourru:

— Qu'est-ce que tu as?

J'ai laissé retomber ma main et je me suis redressé, fanfaron:

— Rien.

Je ne suis pas certain qu'elle m'ait cru. Le regard qu'elle m'a jeté n'avait pas l'air vraiment convaincu. Mais elle a soupiré, la voix aussi douce qu'amère:

— Très bien, Man. Fais à ta guise. En partant, tu règles tes problèmes et les miens. Je n'essaierai pas de te retenir.

Là-dessus, elle m'a jeté un long regard pensif comme si elle essayait de savoir où nous en étions, elle et moi.

— Attends quand même à demain. Je te conduirai en ville. Et là, tu seras ton propre maître. Rien qu'à voir, on voit bien que tu n'es pas en état de marcher, ce soir.

Pendant qu'elle ouvrait la porte et entrait, j'ai pensé, soulagé: «Oui, c'est vrai, mais on voit tout autant que vous non plus n'êtes pas en état de conduire cette nuit.»

Je l'ai suivie à contrecœur. Maintenant que j'avais décidé de partir, il fallait que je le fasse avant que ça devienne trop difficile. Quand même, autant l'admettre, Laura avait raison: je n'étais pas en état de prendre le large. Le seul endroit où je rêvais d'aller, c'était dans mon lit.

Laura a lancé son blouson sur une chaise en disant:

— Le souper est dans le four. Servez-vous. Moi, je vais me coucher.

— Pas faim, a marmonné Tyler.

Je n'ai rien dit. Laura était déjà partie.

On est restés là, Tyler et moi, chacun à son bout de la cuisine. On faisait semblant que l'autre n'était pas là. C'était étrange. Je partageais sa vie depuis qu'il était né. Je le connaissais mieux que moi-même, je devinais ses pensées, je pouvais prévoir ses gestes avant qu'il les esquisse. Pourquoi alors mon frère me semblait-il maintenant un étranger?

On a cessé de jouer aux chiens de faïence. Et on s'est regardés. Mon petit frère n'existait plus. Quand ses yeux se sont levés pour croiser les miens, l'innocence en était partie. Ils étaient durs, maintenant. Il me ressemblait presque.

— Tu veux savoir, Man? qu'il a dit, d'une voix si douce que ça faisait peur.

Non, je ne voulais pas savoir. J'espérais qu'il n'en dirait pas plus.

Il a continué. Ses yeux n'ont pas cillé et sa voix a conservé le même calme. Voilà bien pourquoi ça a été dur à encaisser. Chaque mot tombait lentement dans le silence de la pièce comme dans un trou profond. Il a dit:

— Ce cheval que tu as tué te valait cent fois.

Il est resté là, à me regarder et à attendre. Attendre quoi? Que je lui crie après? Que je le frappe? Pourquoi je l'aurais frappé? Pour avoir dit la vérité? Je n'ai pas bronché. Il a éclaté, tout son calme envolé.

— Tu veux savoir, Man? Je te déteste.

Il a tourné les talons et a couru le long du corridor. J'ai entendu la porte de notre chambre claquer derrière lui. Je me suis affalé sur une chaise et j'ai laissé ma tête retomber sur la table. «Tu n'es pas seul à me détester, Tyler», ai-je pensé, sentant la fatigue me tomber dessus comme une chape de plomb. Oh, comme j'aurais voulu dormir!

Quand j'ai relevé la tête, il faisait noir, dehors. Il était 11 h 45. J'avais dormi plus de trois heures. Je me suis levé. Miséricorde! j'étais mal en point. Tyler dormait, sans doute. Je n'en souhaitais pas plus. Je me suis rendu à notre chambre.

Il faisait noir comme chez le loup, là-dedans. Je ne me suis pas donné la peine de me déshabiller. J'ai juste ôté mes souliers et je me suis allongé sur les couvertures. Il faisait trop chaud pour se couvrir, de toute façon. Mes yeux se sont graduellement habitués à l'obscurité. Je voyais Tyler, à côté. Son lit était entre le mien et la fenêtre, de telle sorte que la faible lumière de la cour éclairait sa figure. Il était redevenu lui-même. Je me suis couché sur mon bon côté et j'ai essayé de me détendre.

Rien à faire. Mes muscles étaient complètement noués. Respirer me faisait si mal que ça m'empêchait de dormir. Et il y avait, aussi, que je pensais trop.

Je ne sais pas combien de temps a passé. La nuit, on perd le fil. Les secondes deviennent des heures. J'ai été éveillé longtemps. J'ai écouté un coyote solitaire hurler à la lune quelque part, là-bas, dans les bois, et je me suis demandé ce qu'il ferait si rien ne lui répondait. J'ai entendu de rares autos écraser le gravier en passant devant notre entrée et je me suis demandé où elles allaient et où moi, j'allais.

Puis, il y a eu un autre son, plus près. Tyler se tournait et retournait dans son lit. Il ne dormait pas, lui non plus. Je me suis demandé à quoi il pensait. Si c'était à moi, j'aimais autant n'en rien savoir.

«Arrive en ville, Man. Ton petit frère a grandi. Il n'a plus besoin de toi. Il s'est finalement aperçu que tu n'es pas un héros. Tu es libre. Demain, déguerpis de ce trou. Comment on se sent, quand on est libre, Man?»

J'ai enfoncé mon poing dans mon oreiller. «La ferme! Et qu'on me laisse tranquille. Je ne veux plus penser.»

J'ai dérivé dans un demi-sommeil fiévreux, mais un autre bruit m'a éveillé. Il était si faible que je l'entendais à peine, mais très proche. Des sanglots contenus: Tyler avait sans doute son visage dans son oreiller pour ne pas être entendu. Il avait son orgueil. Ce n'était pas un gars qui pleurait pour un rien. Le pauvre petit devait être bien malheureux. Je suis sorti du lit d'un élan.

J'avais promis d'être là, quand il aurait besoin de moi.

Puis, j'ai réalisé ce que je faisais et je suis retombé contre mon oreiller. «Oublie ça, Man! Cette fois, il n'a pas besoin de toi. Cette fois, c'est toi qui le fais pleurer.» Comment ça se faisait qu'arriver au but qu'on se propose pouvait faire si mal? J'ai enfoui mon visage dans l'oreiller moi aussi. «Vas-y, Tyler, pleure. Ce n'est pas moi qui te blâmerai. Pendant que tu y seras, pleure un peu sur moi, aussi.»

Graduellement, les sanglots se sont apaisés et la chambre est redevenue calme, mais je ne pouvais pas dormir. J'étais toujours éveillé quand les premiers grondements du tonnerre ont résonné, à l'ouest. L'orage qui avait menacé toute la journée éclatait. Je voyais luire les éclairs dans le ciel. Le vent se levait. Je le sentais se glisser par la fenêtre ouverte et caresser de ses doigts frais mon visage fiévreux. Ce serait un gros orage. «Allez, tonne! Éclate! Cogne! Brise tout! Fais ce que je voudrais faire.» Allongé sur le lit, je sentais la tension monter en moi en même temps que montait l'orage.

Quand le tonnerre a tonné très près, ça m'a soulagé. Comme si un trou s'était ouvert dans le ciel pour laisser passer la pression. «Vas-y, orage! Fais sauter le couvercle!»

Et c'est exactement ce qu'il a fait. Je n'ai jamais connu un orage de cette amplitude. On aurait dit qu'il s'était posté au-dessus du ranch et qu'il donnait son spectacle juste pour nous: la pluie, le vent, un peu de grêle, mais surtout du tonnerre et des éclairs presque continus et si rapprochés qu'on n'avait pas le temps de souffler entre les deux. C'était terrifiant, mais j'ai toujours aimé les orages et ils ne m'ont jamais fait peur.

La chambre s'est illuminée comme en plein jour et, au même instant, la maison tout entière a paru exploser, sautant et frémissant dans un bruit assourdissant qui résonnait en écho jusque dans ses entrailles. Sans savoir que j'avais bougé, je me suis retrouvé assis tout raide, tremblant d'effroi. Tout était redevenu noir et je sentais les poils dressés sur ma nuque. La foudre avait frappé très près.

— Man! Man! Où es-tu?

La voix de Tyler, pleine de terreur.

J'étais sorti du lit.

— Je suis là, Tyler, ai-je dit, plus calme que je n'aurais cru. Tout va bien.

Je n'avais pas sitôt dit ça que Tyler se jetait dans mes bras avec la force d'un train fou. La pression sur mes côtes m'a presque assommé, mais je m'en fichais. Avoir les bras de Tyler autour de moi compensait pour cette souffrance. Je le sentais trembler, et son cœur battait fort contre ma poitrine.

— Eh, remets-toi. On est intacts. On n'a pas été touchés.

— Ça a sûrement frappé pas loin d'ici.

La voix de Tyler tremblait toujours, mais je le sentais déjà moins tendu.

— Tu m'en diras tant!

Je l'ai lâché et j'ai appuyé sur le commutateur. Rien ne s'est produit.

— L'électricité est coupée. Allons voir si le transformateur a été touché.

— Bon, a dit Tyler.

Je me suis penché pour chercher mes chaussures, mais il m'a arrêté.

— Man?

— Oui.

Il a avalé, hésité, et je sentais ses yeux fixés sur moi. Puis:

— Man, je... je ne pensais pas ce que j'ai dit, ce soir.

— Oublie ça. Je l'avais mérité.

— Non, Man.

J'ai ouvert la porte.

— Tu viens avec moi ou tu fais un discours, comme d'habitude?

— Je viens.

Laura était déjà dans la cuisine quand nous y sommes entrés en trébuchant. Elle avait une lampe de poche dans une main, et, de l'autre, composait un numéro de téléphone. Quand elle nous a entendus, elle a dirigé le reflet de sa lampe vers nous.

— Ça va?

— Oui, Laura, a répondu Tyler.

Je n'ai rien dit. Je n'imaginais pas qu'elle s'adressait à moi.

— Allô, a dit Laura, dans l'appareil. Ici Laura McConnell et... Non, je ne veux pas attendre le signal et laisser un message. Je veux ravoir mon électricité. Cette nuit. Y a-t-il quelqu'un de vivant chez vous...

J'ai hoché la tête dans le noir. Cette bonne vieille Laura. Qui essayait toujours de plier le monde à ses diktats. Comme elle avait tenté de le faire avec moi. «Ça ne marchera pas, Laura! Vous n'avez donc pas compris?»

Il y a eu soudain un bruit de verre qui se brise et j'ai sursauté. Je voyais vaguement Tyler près de l'évier. Il s'était versé de l'eau et il avait laissé échapper le verre. Il regardait par la fenêtre.

Laura a sursauté, elle aussi. Elle a reposé l'appareil et s'est tournée vers lui.

— Tyler, qu'est ce qui t'arrive?

D'une voix qui m'a glacé l'échine, il a crié:

— L'écurie!

Mes yeux ont suivi les siens et j'ai compris. Des flammes fluorescentes montaient de la toiture de l'écurie jusqu'au ciel noir.

— Oh, mon Dieu! a gémi Laura. C'est là que la foudre a frappé.

Ce disant, elle a repris le téléphone et s'est remise à former des numéros.

— J'ai peur qu'il ne soit trop tard pour les pompiers. Mais, au moins, (elle a poussé un soupir de soulagement) il n'y a aucun cheval à l'intérieur, cette nuit.

25

J'ai éprouvé un tel choc que mes genoux ont plié. Je me suis senti glacé. Ça ne se pouvait pas. Quelle guigne! Les deux chevaux préférés de Laura tués le même jour. Par ma faute.

Dans le noir de la cuisine, j'ai crié: Non! Et j'ai couru vers la porte.

— Man, qu'est-ce... a dit Laura, qui est aussitôt retournée à la personne au bout du fil. Oui, nous brûlons. Mon écurie. Laura McConnell. À quatre milles à l'ouest de...

Le claquement de la porte arrière m'a coupé du reste. J'ai continué de courir vers l'écurie, jusqu'à ce qu'un mur de chaleur me frappe de plein fouet. Je me suis arrêté juste devant, à cinquante verges à peu près de l'incendie, aveuglé à demi par l'éclat des flammes.

Personne ne pourrait entrer là. Pour moi, spécialement, être aussi près d'un tel feu, c'était l'enfer. Je me suis mis à reculer. Mais, ce faisant, j'entendais dans ma tête les mots de Laura: «Tu détruis tout ce que tu touches!» Touché, Laura! D'abord, Chef, et maintenant, Smoke. Mais vous ne savez pas le fin mot de l'histoire, Laura. Et vous ne voulez pas le savoir. Moi-même, je ne veux pas le savoir...

Je ne pouvais m'empêcher de me souvenir. Le feu avait tout ramené, plus précis que jamais. Pendant les quelques secondes que j'ai passées là, devant l'écurie, j'ai tout revécu. J'avais de nouveau sept ans. Et j'étais terrorisé par ce que j'avais fait. Pourtant, tout avait commencé si simplement, ce jour-là, à Vancouver.

C'est là qu'on habitait. Dans un deux-pièces au deuxième étage d'une vieille maison, du côté pauvre de la ville. On n'était pas riches, mais je n'en savais rien. On avait toujours assez à manger et notre mère nous aimait. Et ça s'arrêtait là.

Maman était serveuse et son quart finissait à quatre heures. Elle allait chercher Tyler à la garderie, et j'étais souvent laissé à moi-même pendant une demi-heure. Ça m'allait tout plein. J'étais fier qu'elle me fasse confiance. J'avais ma clef, et tout. Ça me faisait me sentir adulte. Jusqu'au jour où j'ai découvert, de la pire façon, que j'étais juste un petit garçon.

C'était le quatorze février. L'anniversaire de maman. Elle se donnait toujours beaucoup de mal pour souligner nos fêtes, à Tyler et à moi. Alors, là, c'était à mon tour de faire quelque chose de spécial pour la sienne. Et je l'ai fait. Oh, mon Dieu! comme je l'ai fait!

À l'école, ce jour-là, à la fête pour la Saint-Valentin, le professeur nous a donné, à chacun, un petit gâteau glacé avec des cœurs en cannelle rouge dans le glaçage. Dès que j'ai vu le mien, j'ai décidé de le garder pour maman. J'ai réussi à l'emporter à la maison sans trop l'endommager. Il avait été un peu écrasé quand j'avais laissé échapper ma boîte à lunch, mais je lui ai redonné sa forme et il était parfait. J'ai sorti les bougies d'anniversaire du tiroir puis je suis monté sur le comptoir pour prendre les allumettes sur la tablette supérieure. Maman les gardait tout en haut. Nous, les petits, fallait pas qu'on y touche. Jamais! Mais, ce jour-là, c'était spécial.

J'ai planté une bougie rouge au centre du petit gâteau et j'ai regardé l'effet que ça faisait. Chenu. Peut-être que si j'en mettais une au centre et quatre en cercle autour, ça serait mieux? Oui. J'en aurais mis davantage, mais l'espace me manquait et les bords commençaient à s'effriter.

J'ai regardé l'heure. Quatre heures dix. *Show time*! J'ai pris une allumette et j'ai refermé la boîte soigneusement avant de l'enflammer. Puis, en m'appliquant, j'ai approché le feu d'une bougie. Une d'enflammée. Deux. Trois. L'allumette raccourcissait. Quatre. Cinq. Le feu m'a mordu les doigts. J'ai lancé le bout enflammé dans l'évier et ouvert le robinet — et maman qui me croyait trop petit pour toucher au feu! Je m'en étais bien tiré, pas vrai! J'étais fier de moi. Cette allumette était bien éteinte. Tout le monde était sauf.

J'ai regardé par la fenêtre. Comme prévu, la vieille Beetle Volkswagen de maman s'engageait dans notre rue. À l'heure dite. Avec précaution, en retenant mon souffle pour ne pas éteindre les bougies, j'ai pris le gâteau de fête et je l'ai apporté à la fenêtre. L'auto s'est arrêtée et maman en est sortie. Comme toujours, elle a regardé en haut pour voir si j'étais là. C'est le moment que j'attendais. Tenant le gâteau dans mes deux mains, je l'ai élevé aussi haut que j'ai pu. Je voulais être sûr qu'elle le verrait.

C'est là que la première bougie est tombée. Je l'ai vue commencer à s'effondrer parce que le dessus trop chargé du gâteau s'effritait. J'ai tenté de la retenir et j'en ai renversé une autre. La cire chaude a éclaboussé ma main. Surpris, j'ai laissé tomber le gâteau. Il a frappé le comptoir et s'est fractionné en une douzaine de morceaux. Les bougies ont volé dans toutes les directions. L'une d'elles a rebondi contre le rideau. Le tissu mince a pris feu comme une pièce d'artifice qui s'épanouit en flammes d'or. J'ai tenté désespérément de le saisir pour le jeter dans l'évier comme je l'avais fait avec l'allumette...

Mais, tout d'un coup, la manche de ma chemise a disparu comme par magie, elle aussi, dans un jaillissement des flammes. J'ai essayé de me débarrasser du rideau, mais il me collait après, il fondait sur moi comme un monstre dans un film d'horreur.

Pris de panique et trop effrayé pour sentir la douleur, j'ai saisi à pleines mains un paquet du tissu collant et brûlant et je l'ai lancé aussi loin de moi que j'ai pu. Il est tombé sur le journal de la veille, posé près de la poubelle. Il a pris feu lui aussi. J'étais enveloppé de flammes. Mes vêtements brûlaient. Mes cheveux brûlaient. Tout s'est brouillé dans un cauchemar de flammes et de souffrance et j'ai su soudain que j'allais mourir. J'ai crié: Maman!

Elle est venue. La porte s'est ouverte avec fracas et elle a couru vers moi à travers les flammes, tentant de m'atteindre. Je me rappelle qu'elle m'a enveloppé de ses bras, éteignant les flammes contre son corps, qu'elle m'a soulevé et tenu. Le cri des sirènes, dehors. Le verre cassé. Maman qui me passait à travers une fenêtre dont l'encadrement était en feu. Des bras solides. De l'air frais. On me descendait le long d'une échelle. Et, quelque part, une femme criait...

Je me suis réveillé dans une chambre d'hôpital. Le docteur a dit que j'avais été chanceux. Sauf une couple de cicatrices sur mon cou, que je cache avec mes cheveux longs, je m'en suis tiré sans plus de dommages. Physiques, en tout cas.

Juste après que maman m'a passé par la fenêtre, le plafond s'est écroulé sur elle, l'emprisonnant dans les décombres. Ils n'ont pas pu la sortir à temps.

J'ai secoué la tête pour en chasser ces souvenirs. Ils n'avaient jamais été plus réels: j'entendais presque maman crier. C'est là que j'ai réalisé que ça criait pour de vrai. C'était Smoke. J'entendais ses sabots labourer les côtés de sa stalle dans ses efforts pour se libérer. Au milieu du tapage, il continuait de crier sa terreur. Les chevaux crient comme les humains.

Je me suis mis à courir de plus belle vers l'écurie, esquivant les poignées de foin enflammé qui tombaient par la porte du fenil. J'ai essayé de lever le loquet de la porte centrale.

Soudain, la voix de Tyler a dominé le rugissement des flammes. Il courait vers l'écurie en criant: Non, Man, va pas là. Tu va être tué comme maman.

Le cri s'est changé en sanglot et pendant que j'ouvrais la porte, j'ai vu Laura venir vers lui. Elle nous criait après à tous les deux.

— Non. Ne fais pas ça, Man. Tu ne peux pas... Tyler, reviens ici.

Je n'aurais jamais cru qu'elle eût pu bouger si vite. Comme l'impact de la chaleur atteignait Tyler, il a hésité et Laura l'a attrapé. Maintenant, elle avait les deux bras autour de lui, mais il luttait pour lui échapper. Et il criait, le souffle saccadé:

— Lâchez-moi, Laura. Il faut que je l'arrête.

Il lui a donné un coup de pied dans les tibias.

Je suis resté là une seconde, désorienté, dans un monde obscur piqué d'éclats rouges où l'air saturé de fumée me brûlait les yeux et mordait mes poumons. En toussant, j'ai avancé à l'aveuglette dans l'allée entre les stalles. Celle de Smoke était la dernière. Il criait toujours et se débattait, mais ce bruit qu'il faisait était noyé par le terrible son du feu qui avançait en rugissant dans le fenil rempli de foin, au-dessus de nos têtes. Tant que ça resterait en haut, nous aurions une chance. Une fois que le feu passerait à travers les planches du plafond...

Je n'aurais pas dû penser à ça parce que, juste à ce moment-là, comme à un signal, il y a eu un craquement et une planche enflammée a volé en spirale. Elle est tombée dans une stalle vide, et le foin s'est aussitôt embrasé. Le feu était en bas.

Au moins, là, je voyais où j'allais. La lumière du feu jetait un éclat rougeâtre mystérieux sur tout. Y compris sur Smoke. Silhouette dressée contre les flammes, il s'est cabré et a rué contre les planches de son box, ses durs sabots faisant voler le bois en éclat. Ses yeux affolés avaient un éclat satanique. Sa robe argentée mouillée de sueur reflétait le rayon rouge. Il n'était plus le cheval que je connaissais. Il était un démon à quatre pattes que le feu avait rendu fou. Il faisait partie du monde de cauchemar dans lequel nous nous débattions tous les deux.

Comment parvenir à le sauver? Personne ne pouvait rien obtenir d'un cheval aussi affolé que l'était celui-ci. Si je m'approchais trop, il me tuerait. Une autre planche enflammée est tombée. Il ne restait plus guère de temps.

J'ai regardé derrière moi. Il y avait encore un chemin ouvert jusqu'à la porte. Si je sortais maintenant... «Désolé, Smoke...» ai-je soufflé, entre les quintes de toux. J'ai fait un pas en avant, puis je me suis arrêté: «Quand ça chauffe, tu fuis.» Les mots résonnaient en écho dans ma tête.

J'ai saisi la longe du licou de Smoke sur son clou. Il avait son licou et j'ai crié, plus fort que le rugissement du feu:

— Whoa, Smoke!

Il s'est tenu tranquille un moment, tremblant de tous ses membres.

J'ai ouvert le loquet de sa barrière. Il s'est cabré de nouveau, ses sabots labourant l'air au-dessus de ma tête. Je n'ai pas bronché.

— Arrête ça, Smoke! Tiens-toi tranquille.

Ses sabots sont retombés sur le sol, me ratant d'un cheveu. J'ai avancé d'un pas et, par un tour de passe-passe, j'ai fixé la longe à l'anneau du licou.

Une planche est tombée en travers de l'allée. Smoke s'est replié contre le mur de son box, hennissant de terreur. J'ai tiré la longe et crié à m'en étouffer.

— Allez, viens, Smoke. On va sortir d'ici.

Ça n'a servi à rien. Pour le faire sortir de sa stalle, il aurait fallu le faire marcher vers cette tache de flamme nouvelle. Devant ses yeux fous, j'ai su qu'il aimerait mieux mourir que d'avancer. On mourrait donc tous les deux.

Ses yeux m'ont soudain rappelé quelque chose que j'avais vu, dans un film. Un bandeau. C'est en leur couvrant les yeux d'un bandeau qu'on sortait les chevaux du feu. De la sorte, ils ne voyaient pas les flammes. Ils se calmaient et faisaient confiance à la main qui tenait leur licou. Le hic, c'est que Smoke ne me faisait pas tellement confiance. Quand même, ça valait peut-être la peine d'essayer. J'ai ôté ma chemise en me protégeant des coups de dents visant mon épaule et j'en ai entouré ses yeux puis j'ai noué les manches sous sa face.

— Allons-y, Smoke, plus rien ne peut te faire peur, maintenant. Viens.

J'ai tiré sur la longe du licou. Il s'est cabré, me soulevant presque de terre. J'ai sacré: je souffrais le martyre à cause de mes côtes. Mais j'ai tenu le coup. Quel cheval stupide! Il n'avait donc pas vu le film? Je tremblais maintenant, autant de colère que de peur. J'ai secoué la longe et hurlé:

— Arrête ça!

Smoke s'est immobilisé quelques secondes, tremblant, indécis. Je me suis calmé. De ma main libre, je lui ai doucement touché l'encolure.

— C'est correct. Je suis là. Je vais te tirer d'ici.

Lentement, son nez de velours noir s'est tendu vers moi. Je sentais son haleine chaude, parfumée de trèfle, qui soufflait sur moi. J'ai reculé d'un pas, sans tendre la longe. Smoke a avancé d'un pas, se tenant assez près de moi pour garder son nez contre mon épaule. Nous étions encore ébranlés, tous les deux.

Le feu nous encerclait. Il fallait choisir un chemin entre les masses de foin enflammé... Et même, à un moment crucial, traverser le feu. Smoke m'a suivi. J'ai cru qu'on s'en tirerait, mais, par malheur, un morceau de planche en feu est tombé d'en haut juste au-dessus de nous. Il a heurté la croupe de Smoke, mais rebondi si vite que je doute qu'il l'ait vraiment brûlé. Smoke n'en a pas moins poussé un cri de terreur et plongé de mon côté, me plaquant contre la porte de la remise des attelages. J'ai crié et une vague de souffrance m'a emporté. Tout s'est évanoui.

Je ne pouvais plus respirer. Mes genoux pliaient sous moi. Et puis j'ai soudain repris mes esprits. À cause de l'odeur, cette odeur de poils brûlés qui m'avait révulsé au marquage. Mon épaule me faisait épouvantablement mal. D'instinct, je l'ai éloignée de la porte, mais c'est seulement quand j'ai vu la profonde marque rouge sur ma peau que j'ai compris que c'était *moi* qui brûlais. Le loquet de métal de la porte était rougi au bleu. Derrière cette porte, il y avait le feu. Quand le feu en viendrait à bout...

Non! Je n'allais pas mourir comme ça! À quelques pas du but!

— Viens, Smoke.

J'ai noué mes doigts dans le nœud de son licou et titubé vers la porte.

C'est seulement quand la pluie a frappé mon visage que j'ai compris qu'on avait réussi. On était dehors. Laura et Tyler y étaient aussi. Elle le tenait toujours contre elle. Il lui criait après. Rien n'avait changé. C'était à n'y rien comprendre. Pourquoi est-ce que rien n'avait changé? J'avais été là-dedans pendant des heures. Toute une vie.

Laura m'a vu et s'est figée. Comme si elle avait aperçu un fantôme. «Allons, Laura, du cran. Venez chercher votre imbécile de cheval. Je suis trop fatigué pour le retenir plus longtemps.»

Elle s'approchait de moi. En courant au ralenti, comme dans une annonce de télé. Je lui ai tendu la longe.

— Voilà, ai-je réussi à marmonner.

Elle n'a même pas pris la longe. Elle l'a laissée là. «Voyons, Laura. Je me suis donné un mal fou pour sauver ce cheval.» Je me sentais vaciller, comme un arbre sur le point de tomber.

Les bras de Laura se sont tendus vers moi. Elle a dit quelque chose. Elle avait l'air fâché, comme d'habitude. J'ai saisi une partie de sa phrase... «espèce de fou, tête de mule, magnifique...» C'est seulement quand ses bras se sont refermés sur moi que j'ai compris qu'elle me parlait à moi, pas au cheval. Bon *timing*. Elle m'a attrapé juste comme le monde se mettait à tourner, le feu rouge alternant avec le ciel noir, comme sur le petit hélicoptère que maman m'avait acheté à la foire, il y avait longtemps.

«Maman. Eh, dis donc. J'ai mieux réussi, cette fois-ci, pas vrai?»

La voix de Tyler pénétrait les ténèbres qui obscurcissaient mon cerveau. Je savais d'avance ce qu'il disait:

— Es-tu correct, Man? (C'est toujours ce qu'il me dit.)

Certain que j'étais correct. J'étais le cow-boy solitaire et il était Tonto. Et Laura? Laura serait toujours Laura: Laura la persévérante, la tenace. Toujours là pour t'attraper quand tu as besoin d'elle.

J'avais besoin d'elle maintenant. J'avais certaines choses à lui dire.

MARILYN HALVORSON

Marilyn Halvorson exploite un ranch en Alberta, tout en faisant, à l'occasion, de la suppléance dans une école secondaire. Ses multiples occupations ne l'empêchent pas d'écrire pour son public de prédilection, les jeunes adultes. Elle a publié six romans dont deux ont été traduits en français : *Comme un cheval sauvage* et *En toute liberté* paru aux éditions Fides en 1987.

o

Dans la foulée de l'écriture, **Paule Daveluy** a découvert la traduction, une autre façon stimulante de jouer avec les mots. Elle a traduit, pour les jeunes, une douzaine de romans d'auteurs anglophones, publiés dans la collection qu'elle a créée.

Lithographié au Canada
sur les presses de
Metrolitho inc. - Sherbrooke